Dante et Virgile aux Enfers

d'Eugène Delacroix

Cette exposition, présentée au musée du Louvre,
salle de la Chapelle,
du 9 avril au 5 juillet 2004,
a été organisée par le département des Peintures.
Elle a été coordonnée sous la direction de Marielle Pic,
par Soraya Karkache au service des Expositions
à la Direction du Développement culturel.
Sa présentation a été conçue par Philippe Maffre et Florent Coquenlorge
et réalisée par la direction Architecture, Muséographie et Technique.

Commissaire de l'exposition
Sébastien Allard
Conservateur au département des Peintures

En couverture :
Eugène Delacroix
Dante et Virgile aux Enfers, détail
Paris, musée du Louvre
(cat. 1)

I.S.B.N. : 2-7118-4773-x

49, rue Etienne-Marcel, 75001 Paris

Les dossiers
du musée du Louvre

65 *Exposition-dossier du département des Peintures*

Dante et Virgile aux Enfers

d'Eugène Delacroix

Sébastien Allard

Conservateur au département des Peintures

Que tous les responsables des musées et des collections qui ont généreusement accepté, par leurs prêts, de participer à cette exposition soient ici chaleureusement remerciés : le musée d'Ordrupgaard à Copenhague, le Kunstmuseum de Bâle, la fondation Bührle à Zurich, la Graphische Sammlung Albertina et la Galerie du Belvédère à Vienne, le musée Ingres à Montauban, le musée des Beaux-Arts de Rouen, la Bibliothèque nationale de France (département des manuscrits), le musée Grobet-Labadié à Marseille et, bien sûr, le musée Rodin.

Dès sa conception, ce projet a bénéficié de la confiance d'Henri Loyrette, président-directeur du musée du Louvre. Jean-Pierre Cuzin, conservateur général en charge du département des Peintures, puis Vincent Pomarède, son successeur à ce poste, m'ont apporté leur chaleureux soutien ainsi que Jacques Foucart, conservateur général au département des Peintures et chef du Service d'étude et de documentation.

Je suis particulièrement reconnaissant à Hortense Anda-Bührle, Christine Ekelhart, Anne Brigitte Fonsmark, Christine Germain, Lukas Gloor, Antoinette Le Normand-Romain, Catherine Loisel-Théret, Laurent Salomé, Arlette Sérullaz, Françoise Viatte, Florence Viguier d'avoir favorisé le prêt des œuvres à cette exposition.

Marie-Claude Chaudonneret, avec une générosité rare, m'a apporté son aide amicale et m'a fait part de ses précieux conseils.

Que tous ceux qui, d'une manière ou d'une autre, ont apporté leur soutien à l'élaboration du catalogue trouvent ici l'expression de ma gratitude : Nina Athanassoglou-Kallmyer, Laurence Badel, Malika Bouabdellah, Nathalie Brac de La Perrière, Michel Caffort, Marie-Pierre Chabanne, Bruno Chenique, Françoise Dachy, Clarisse Duclos, Elisabeth Foucart-Walter, Elisabeth Fraser, Camille Gérôme, Adrien Goetz, Gerlinde Gruber, Jean Habert, Claude Imbert, Raphaël Llado, Jean Lacambre, Didier Lalaque, Anne Larue, Ségolène Le Men, Eva Löchner, Philippe Lorentz, Patricia Mainardi, Hélène et Jean Montarnal, Emmanuel Noël, Cinzia Pasquali, Laurence Posselle, Marie de Ramefort, Anne et Daniel Robbins, Anne Roquebert, Véronique Stedman, Dominique Thiébaut, Nicolas Wanlin; à la RMN, Josette Grandazzi a assuré, avec efficacité et gentillesse, le suivi de l'ouvrage, et Guillaume Rosier en a conçu la belle maquette.

Ma gratitude s'adresse aussi à tous ceux qui ont collaboré directement à l'exposition : au musée du Louvre, Aline Sylla, directrice du développement culturel, les architectes Philippe Maffre et Florent Coquenlorge, Marielle Pic, Christophe Clément, Clio Kargeorghis et la division de la signalétique, Joël Courtemanche et les ateliers, Aline Cymbler et l'atelier d'encadrement; au département des Peintures, Marie-Catherine Sahut et Aline François-Colin qui ont supervisé la restauration du cadre; au Centre de recherche et de restauration des Musées de France, Christine Benoit, Élisabeth Ravaud et Elsa Lambert.

Mes remerciements s'adressent plus particulièrement encore à Soraya Karkache qui m'assisté, avec une efficacité et une disponibilité remarquables, pendant toute la préparation de l'exposition et sans l'aide de laquelle rien n'aurait été possible et à Martin Kiefer.

Enfin, que le Dr Arrada reçoive l'expression de ma profonde reconnaissance pour avoir accepté la lourde tâche de relire le catalogue et m'avoir fait part de ses sagaces et toujours judicieuses remarques.

SOMMAIRE

Préface

Le musée du Louvre a, depuis longtemps, souhaité offrir au public, grâce à ses dossiers, des études approfondies sur certaines œuvres importantes de ses collections permanentes. Le nombre des objets présentés est limité, mais les problématiques abordées ouvrent souvent sur des horizons passionnants, comme en témoigne ce travail consacré au tableau d'Eugène Delacroix, *Dante et Virgile aux Enfers*.

Comment devient-on un grand artiste? Voilà l'ambitieuse enquête à laquelle s'est livré Sébastien Allard, conservateur au département des Peintures. Refusant l'esprit de système et les idées préconçues, multipliant les types d'approche de l'œuvre d'art, il a tenté de cerner au plus près les espoirs, les ambitions, les stratégies du jeune Delacroix pour parvenir à se faire un nom. En les comparant avec celles de certains contemporains du peintre, il a tracé, comme en creux, l'image de ce que l'on pourrait définir comme «l'artiste romantique» et fait le portrait de cette «génération 1820», à laquelle s'intéresse, depuis quelques années, l'historiographie française et anglo-saxonne. Replacé dans le contexte précis du Salon de 1822, *Dante et Virgile aux Enfers* retrouve toute son importance, un peu étouffée au XXe siècle par le pathétique poignant des *Massacres de Scio* ou les fulgurances du pinceau de *Sardanapale*. La conception sombre et dramatique de la toile, l'exécution rapide et dense, nourrie de références à Michel-Ange et à Rubens, l'ombre de Géricault qui plane au-dessus de ce coup d'essai au Salon retrouvent un peu de leur saveur provocante, qui déconcerta nombre de contemporains. Au contraire, Adolphe Thiers, visionnaire, s'enthousiasma : «Rien ne révèle mieux l'avenir d'un grand peintre». Sébastien Allard montre qu'avec ce tableau les termes de la bataille romantique qui éclatera au Salon suivant se mettaient, discrètement mais sûrement, en place. Avec *Dante et Virgile aux Enfers*, Delacroix prenait pleinement conscience de la puissance de son inspiration.

Et puis, il y a Dante, figure tutélaire des romantiques, l'image absolue du Poète, le père de la modernité, celui qui, avec Michel-Ange, comprit le premier le pouvoir de l'expression, au-delà du respect de la forme. Gérard de Nerval pensait en être une réincarnation, Eugène Delacroix lui voua, sa vie durant, une véritable passion. Avec *Dante et Virgile aux Enfers*, le peintre lui rendait son premier et plus bel hommage; la peinture littéraire venait d'être fondée.

Un tableau aussi riche et aussi émouvant méritait bien qu'on lui consacrât une exposition; rarement dossier aura été plus justifié.

Henri Loyrette
Président-directeur du musée du Louvre

Fig. 2. Vue de la salle des États, en 1921, musée du Louvre

F·BOUCHER

Une œuvre emblématique pendant tout le XIXe siècle

Le 3 septembre 1822, *Dante et Virgile aux Enfers*, qui venait d'être présenté au Salon et avait été immédiatement acheté par le directeur des musées royaux, le comte de Forbin, était exposé au musée du Luxembourg. Delacroix, alors en villégiature à Louroux, mais désireux de rentrer à Paris pour jouir de « son triomphe d'à présent », décidait de commencer son journal. Cette première réussite au Salon constitua le moment peut-être le plus décisif de toute la carrière d'un peintre avide de reconnaissance et pour qui « la gloire n'était pas un vain mot[1] ». Est-ce la raison pour laquelle il resta, toute sa vie, attaché à cette toile qui le fit connaître et qui décida définitivement de sa vocation ? En décembre 1859, quatre ans avant sa mort, préoccupé par les gerçures et les craquelures prématurées qui défiguraient son œuvre, il s'en inquiéta auprès du comte de Nieuwerkerke; en février 1860, il réclama le privilège de la restaurer lui-même[2]. Aucune autre de ses compositions ne l'aura autant préoccupé.

Pendant la Restauration et une partie de la monarchie de Juillet, bien que l'État eût acquis les *Massacres de Scio*, seul *Dante et Virgile aux Enfers* représenta Delacroix dans ce panthéon des artistes vivants qu'était le musée du Luxembourg. Aussi, aux yeux des contemporains, l'artiste fut-il identifié avec cette peinture et, lorsque, plus tard, il s'agit de le désigner par une périphrase, on n'usa guère du « Maître de Scio », comme Gros avait pu être le « Maître de Jaffa »; il demeurait le « peintre du Dante », dans une association significative. Pour Baudelaire, *Dante et Virgile aux Enfers* marqua une « révolution[3] »; le tableau apparaît, plus ou moins clairement mais de façon récurrente, dans beaucoup de ses écrits, et pas seulement dans sa critique d'art. Dans *les Fleurs du mal*, son poème *les Phares* rend hommage au maître :

« Delacroix, lac de sang hanté des mauvais anges,
» Ombragé par un bois de sapins toujours vert,
» Où, sous un ciel chagrin, des fanfares étranges
» Passent, comme un soupir étouffé de Weber. »

En 1855, dans sa critique de l'Exposition universelle, il en livre une explication : « *lac de sang* : le rouge; – *hanté des mauvais anges* : le surnaturalisme; – *un bois toujours vert* : le vert complémentaire du rouge; – *un ciel chagrin* : les fonds tumultueux et orageux de ses tableaux; – *les fanfares et Weber* : idées de musique romantique que réveillent les harmonies de sa couleur[4] ».

Bien qu'il ne le dise pas explicitement et que sa poésie ne puisse se voir réduite à une identification un peu prosaïque, il semble bien que le support de son inspiration, dans l'une de ses plus belles pièces, soit une *réminiscence* de ce tableau tant aimé, qui, pour lui, associait de façon troublante le peintre au poète florentin. Le lac de sang est comme la transposition superlative du

---

1. Delacroix, 1996 (29 avril 1824).
2. Archives des Musées nationaux, P6, dossier Delacroix.
3. Baudelaire, *Salon de 1855*, ch. III.
4. *Ibid.*

Fig. 1 **[cat. 1]**
Eugène Delacroix, *Dante et Virgile aux Enfers*,
dit aussi *la Barque de Dante*, Salon de 1822.
Paris, musée du Louvre, département des Peintures, RF 3820

« lac qui entoure les murailles de la ville infernale de Dité », transposition qui porte en elle ces flots de sang versés tout au long de *l'Enfer*. « Des coupables s'attachent à la barque ou s'efforcent d'y entrer », décrit le livret du Salon de 1822, mais ces coupables, Delacroix les peint beaux comme les mauvais anges. Si ce bois de sapins ne peut qu'éveiller, chez le lecteur, le souvenir de la forêt des suicidés au chant XIII de *l'Enfer*, aucun autre tableau de Delacroix n'a porté à un tel degré de flamboyance l'utilisation dramatique et complémentaire du rouge et du vert. Du vivant de l'artiste, le *Dante et Virgile* faisait bien figure d'œuvre emblématique, statut qu'elle perdit quelque peu ensuite.

Depuis 1921[5], le Louvre conserve, réunies, les quatre grandes toiles de la jeunesse de Delacroix : *Dante et Virgile aux Enfers* (Salon de 1822), les *Massacres de Scio* (Salon de 1824), *la Mort de Sardanapale* (Salon de 1827-1828) et *la Liberté guidant le peuple* (Salon de 1831). L'aura de *Dante et Virgile aux Enfers* semble avoir été quelque peu éclipsée par celles de ses encombrantes voisines. Le format n'est sûrement pas étranger à ce phénomène. Bien qu'imposante, elle n'atteint pas au gigantisme des *Massacres de Scio* et de *la Mort de Sardanapale*. Déjà, en 1824, William Hazlitt, visitant le musée du Luxembourg, remarqua, au milieu des grandes machines néoclassiques, cette « petite peinture », qualifiée de « *truly picturesque* »[6]. *Dante et Virgile aux Enfers* n'a pas non plus constitué, pour notre sensibilité, un espace de projection des fantasmes contemporains aussi réactif que les autres toiles. Sans même parler de *la Liberté guidant le peuple*, devenue l'image mythique de la marche inéluctable de la Liberté et des sacrifices qu'elle impose, les *Massacres de Scio* ont pu être interprétés comme une dénonciation des horreurs de la guerre en général. Mais les bourreaux ne sont-ils pas au moins aussi séduisants que les victimes sont pathétiques ? Et le doute s'installe. Dans la démesure du *Sardanapale*, dans cette débauche de couleurs, cette orgie de matières, dans le basculement de l'espace de la toile, nombre d'historiens de l'art et d'artistes ont vu les prémices de la modernité picturale : la tentation de la peinture pure. C'était faire trop rapidement l'économie du sujet inspiré par Byron, qui suscitait alors un engouement dont nous n'avons plus aujourd'hui aucune idée. Le faire de l'artiste avait pris le pas sur la valeur du sujet littéraire.

Dans *Dante et Virgile*, le jeune Delacroix, désireux de se faire remarquer au Salon pour la première fois, tempéra ses audaces formelles, bien réelles et porteuses d'avenir, par le désir de montrer qu'il était un vrai peintre. En mettant tout ce qu'il savait, tout ce qu'il pouvait sur sa toile, il produisit une œuvre saturée, contradictoire par endroits, mais, en même temps, profondément personnelle, peut-être la plus personnelle de toute sa carrière. Encore relativement inexpérimenté, il ne put évidemment donner à son métier, pourtant déjà génial, toutes les fulgurances du pinceau de *Sardanapale* et notre œil contemporain, habitué aux analyses formelles, éprouve quelques difficultés alors à reconnaître dans cette peinture l'artiste moderne, iconoclaste, le précurseur de l'expressionnisme abstrait, celui qui le premier toucha du doigt le rejet du figuratif, que l'on voudrait y voir. Dans le cas de *la Mort de Sardanapale*, la splendeur du matériau et l'oubli relatif dans lequel est tombé Byron ont incité les auteurs à mettre l'accent sur la modernité formelle, au détriment de l'inspiration littéraire; dans l'interprétation de *Dante et Virgile aux Enfers*, en revanche, la touche ne suffit pas, elle n'est rien sans son rapport essentiel avec le sujet dantesque. Avec ce premier chef-d'œuvre, Delacroix créait la peinture littéraire et la portait à un degré rarement égalé par la suite.

5. Date de l'entrée au musée de *la Mort de Sardanapale*. Alors que *Dante et Virgile aux Enfers*, les *Massacres de Scio* et *la Liberté guidant le peuple* furent acquis par l'État, respectivement aux Salons de 1822, 1824 et 1831, la *Mort de Sardanapale*, jugée trop scandaleuse au Salon de 1827, fut vendue en 1846 par Delacroix à John Wilson.

6. « A small picture by Delacroix, taken from the *Inferno*, *Virgil and Dante in the Boat*, is truly picturesque in the composition and the effect, and shows a real eye for Rubens and nature. The forms projects, the colours are thrown into masses », William Hazlitt, *Notes of a Journey through France and Italy*, Londres, 1903, p. 137.

Delacroix au Salon de 1822 : la stratégie de la conquête

Le 15 avril 1822, Eugène Delacroix écrivit à son ami Soulier : « Je sors d'un travail de chien qui me prend tous mes instants depuis deux mois et demi. J'ai fait dans cet espace de temps un tableau assez considérable qui va figurer au Salon. Je tenais beaucoup à m'y voir cette année et c'est un coup de fortune que je tente[7]. » La décision du jeune homme de se présenter au Salon fut rapide et relativement tardive. Le 26 juillet 1821, il exprimait à sa sœur son désir de peindre un tableau pour cette exposition, essentielle pour la reconnaissance des artistes. En septembre, son sujet n'était toujours pas arrêté et il envisageait peut-être d'illustrer un épisode de la guerre d'indépendance grecque. Le temps pressait, l'inauguration avait été fixée pour le 24 avril 1822. Au milieu du mois de janvier, la toile avait enfin été commencée, mais il ne restait plus que deux mois et demi. En mars, il indiquait à son neveu son sujet et le 15 avril, tout était achevé. Delacroix travailla dans l'urgence la plus absolue et avec acharnement, de douze à treize heures par jour[8]; il sembla satisfait du résultat : il venait de réaliser « un tableau assez considérable », *Dante et Virgile aux Enfers*.

« Il jette ses figures, les groupe, les plie à volonté »

Les examens de laboratoire[9] ont confirmé la précipitation avec laquelle Delacroix réalisa son *Dante et Virgile aux Enfers*. L'artiste brûlait les étapes. S'il avait une idée générale de sa composition, en revanche le positionnement des figures et de la barque même subit d'importantes modifications, opérées directement sur la toile. Le peintre semble avoir commencé par placer Dante au milieu du tableau. Puis, il se ravisa et le déplaça de quelques centimètres sur la gauche, de façon à donner plus de présence à Virgile. Dans les craquelures de la couche picturale, on aperçoit, sous le manteau du poète latin, des traces d'un rouge vermillon qui signalent l'ancien emplacement du chaperon de Dante. Aussi le geste des deux mains au centre de la composition, capital pour la compréhension de l'œuvre, ne lui apparut-il qu'assez tard. De toute évidence, il était conscient de l'importance du passage entre les deux figures principales, mais il peinait à trouver une solution suffisamment signifiante. Un merveilleux petit

Fig. 3 **[cat. 24]**
Eugène Delacroix, *Croquis avec deux figures (Dante et Virgile)*.
Paris, musée du Louvre, département des Arts graphiques, RF 9180 (verso)

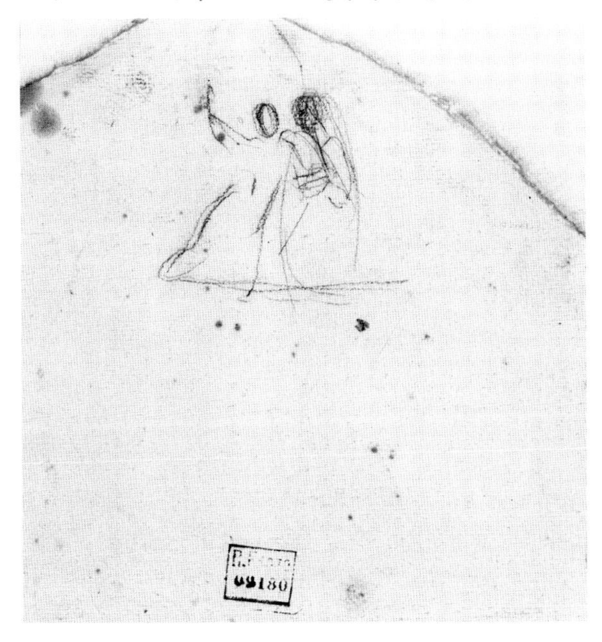

7. Soulier, 15 avril 1822 (Joubin, 1938, I, p. 141).
8. *Ibid.*
9. Voir, dans le présent ouvrage, l'étude de laboratoire du tableau au Centre de recherche et de restauration des Musées de France.

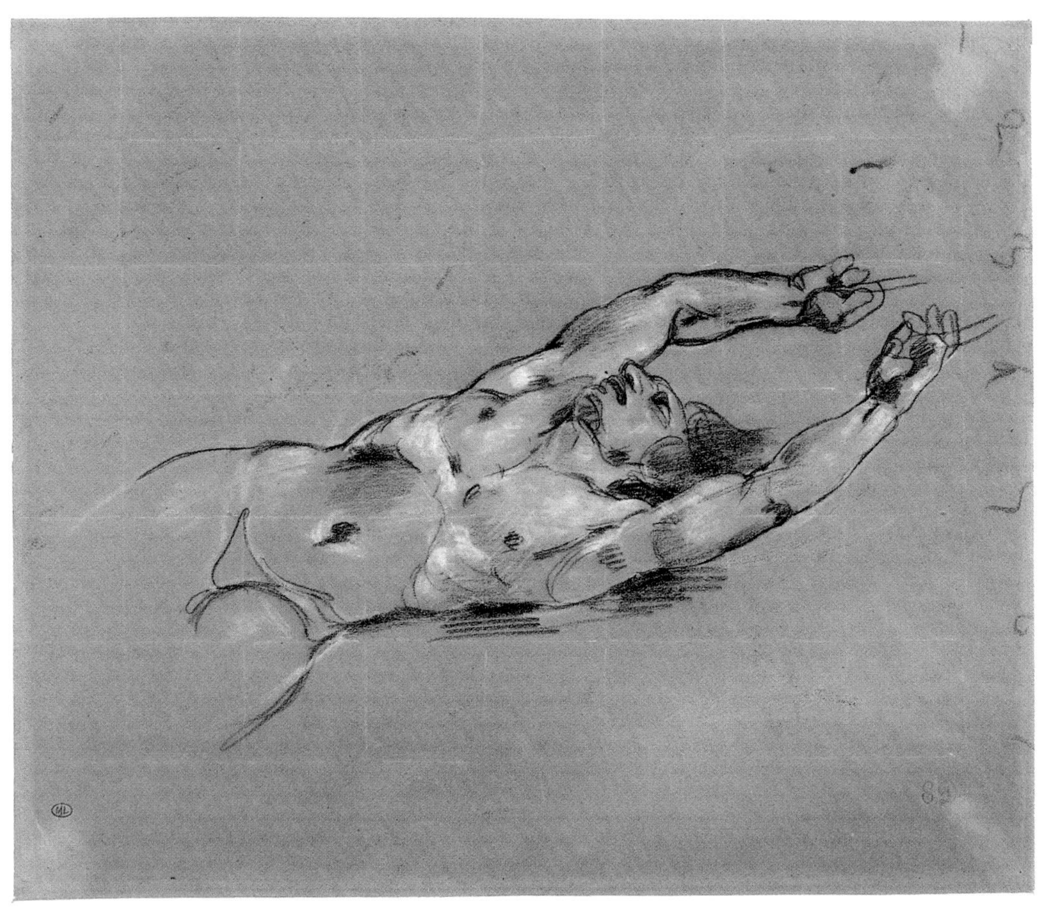

Fig. 4 [cat. 28]
Eugène Delacroix, *Étude d'homme nu renversé pour un damné*.
Paris, musée du Louvre, département des Arts graphiques, RF 9174

croquis, émouvant de simplicité *(fig. 3)*, montre la manière dont Delacroix, d'un rapide coup de crayon, plaça les deux personnages : Dante bascule en direction de Virgile, campé bien verticalement. En revanche, la zone correspondant aux bras est confuse, l'artiste y revint et semble avoir d'abord eu l'idée de faire passer le bras du Florentin sur celui de son guide. Sur une aquarelle proposant une mise en place des protagonistes proche de la solution finale, Virgile se trouve très clairement derrière l'épaule de Dante *(fig. 17)*. Le dessin offrait alors au peintre l'occasion de vérifier la validité des solutions formelles qu'il travaillait directement sur la toile.

La même méthode se retrouve pour les damnés. Tous ont été préparés individuellement, d'après le modèle vivant. Sur l'une des études pour l'homme renversé en bas à gauche *(fig. 4)*, on discerne bien les cordes permettant de tenir la pose. Pierre Andrieu, l'élève du maître, le confirme et ajoute une précision supplémentaire : un seul modèle, Suisse, a posé pour toutes les figures, sauf pour celle de Phlégyas inspirée du « torse antique[10] ». Suisse avait probablement déjà servi à Géricault pour *le Radeau de la Méduse* *(fig. 5)*. L'un des naufragés au centre de ce tableau rappelle de façon frappante le damné que Delacroix a représenté à gauche de son *Dante et Virgile aux Enfers* *(fig. 6, 7)* : la mâchoire puissante, le menton géométrique et triangulaire, les lèvres charnues, les narines larges sont identiques. Même la femme, à la musculature imposante, dérive, comme c'était souvent le cas, d'un prototype masculin; l'aspect michelangelesque de la composition s'en trouvait renforcé. En ce qui concerne Phlégyas, l'affirmation d'Andrieu, très postérieure à la réalisation de l'œuvre, demande à être nuancée. Bien sûr, dans le tableau, le nocher renvoie très clairement au torse du Belvédère, que l'artiste connaissait par des moulages et

10. Bruyas, 1876, p. 362.

Fig. 6 [cat. 1]
Eugène Delacroix, *Dante et Virgile aux Enfers*, détail du damné renversé
Paris, musée du Louvre, département des Peintures, RF 3820

Fig. 5
Théodore Géricault, *le Radeau de la Méduse* (détail).
Paris, musée du Louvre, département des Peintures, RF 4884

Fig. 7 [cat. 30]
Eugène Delacroix, *Tête d'homme renversée en arrière*.
Paris, musée du Louvre, département des Arts graphiques, RF 9164

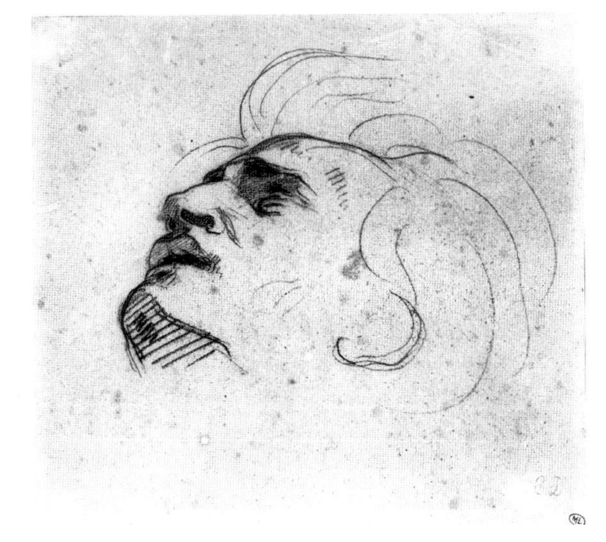

Fig. 8
Eugène Delacroix, *Album*, f°29 v° :
Étude d'après le torse du Belvédère.
Paris, musée du Louvre, département des Arts graphiques, RF 9151

Fig. 9 [cat. 26]
Eugène Delacroix, *Deux études d'homme nu debout pour Phlégyas.*
Paris, musée du Louvre, département des Arts graphiques, RF 9167

Fig. 10 [cat. 39]
Eugène Delacroix, *Étude d'homme nu, de dos, le bras gauche levé pour Phlégyas.*
Paris, musée du Louvre, département des Arts graphiques, RF 9189

Fig. 11 [cat. 38]
Eugène Delacroix, *Cinq études d'homme nu, de dos, le bras gauche levé.*
Paris, musée du Louvre, département des Arts graphiques, RF 9179

qu'il avait déjà dessiné dans un carnet *(fig. 8)*. Cependant les nombreuses feuilles consacrées à ce personnage montrent que Delacroix l'étudia d'abord d'après un modèle vivant. S'il semble avoir très vite renoncé à la position de profil au profit d'un dos *(fig. 10)*, il hésita longuement sur l'attitude à lui donner. La feuille RF 9179 *(fig. 11)* rend compte de ces diverses recherches. La pose au milieu à gauche n'est pas sans évoquer la disposition finale. Le dessin RF 9190 *(fig. 12)*, avec ses rehauts de blanc, doit se situer à un stade assez avancé de l'idée. Si Delacroix conserva la position des jambes sur le tableau, en revanche, le buste fut retravaillé en fonction de la sculpture du Vatican. Pourtant, aucun dessin à ce jour n'évoque directement le torse du Belvédère. La matière dans laquelle est peinte Phlégyas s'est révélée complètement transparente à la radiographie, tout comme celle du damné montant dans la barque et des deux hommes luttant au premier plan. L'artiste aurait donc opéré, directement sur la toile et rapidement, sans repentir ni reprise, la fusion du modèle vivant et du célèbre antique.

Fig. 12 **[cat. 40]**
Eugène Delacroix, *Figure du nautonier nu, de dos, pesant sur sa rame.*
Paris, musée du Louvre, département des Arts graphiques, RF 9190

La position de chacun des damnés a été modifiée de façon plus ou moins radicale, après avoir été peinte. Delacroix recula considérablement la femme vers la droite, ainsi que l'homme avec lequel elle lutte *(fig. 13)*, que, de plus il a contracté, probablement pour pouvoir insérer plus librement l'homme renversé à gauche. Aussi peut-on considérer que la plupart des dessins pour les deux personnages luttant correspondent à l'état initial, où les gestes se déployaient avec plus d'ampleur, comme sur la feuille RF 9188 *(fig. 57)*. La comparaison entre l'étude RF 9166 *(fig. 14)* et celle, mise au carreau, RF 9176 *(fig. 15)* permet de comprendre ce qui s'est passé. Sur la première, l'artiste a d'abord dessiné, en petit et très discrètement, au bas de la feuille, la forme générale du corps, puis par une série de variantes, où le trait se fait plus présent et où la technique s'enrichit, il a agrandi et précisé, vers le haut, non seulement la forme générale mais aussi le modelé, jusqu'à obtenir une image qui le satisfît pleinement. L'écart entre le bras et la jambe est assez large et

Fig. 13 **[cat. 1]**
Eugène Delacroix, *Dante et Virgile aux Enfers*, détail du couple luttant.
Paris, musée du Louvre, département des Peintures, RF 3820

Fig. 14 [cat. 36]
Eugène Delacroix, *Étude d'un homme nu de dos pour le damné luttant.*
Paris, musée du Louvre, département des Arts graphiques, RF 9166

Fig. 15 [cat. 37]
Eugène Delacroix, *Étude d'un homme nu de dos pour le damné luttant.*
Paris, musée du Louvre, département des Arts graphiques, RF 9176

Fig. 16 [cat. 34]
Eugène Delacroix, *Étude de damnés.*
Paris, musée du Louvre, département des Arts graphiques, RF 9191

Fig. 17 **[cat. 44]**
Eugène Delacroix, *Première mise en place pour Dante et Virgile dans la barque*.
Paris, musée du Louvre, département des Arts graphiques, RF 6161 (recto)

permet à l'écriture des contours de se déployer avec aisance et force, tout en maintenant le degré de tension dans des limites raisonnables. La première mouture peinte devait ressembler à cette figure; puis déplaçant la femme, l'artiste eut l'idée de reprendre le damné et de le tasser. La seconde feuille, avec sa mise au carreau, correspond à cette étape-là *(fig. 15)*. Les contours sont moins recherchés, mais l'effet de contraction, avant la poussée qui doit chasser sa rivale, se révèle particulièrement saisissant. La représentation acquiert alors une violence que renforce la physionomie masculine de la femme. D'importants repentirs affectent, de la même façon, le damné renversé à gauche. La tête et les bras furent d'abord peints dans la continuité du corps, comme sur les études RF 9173 et RF 9174 *(fig. 4)*, mise au carreau. L'impression de glissement et de vitesse en était accentuée. Dans la version définitive, en arrondissant les bras et en redressant le visage, l'artiste opposa une résistance au mouvement général d'abandon. Tout se passe comme si le malheureux, dans un dernier et faible sursaut, cherchait désespérément à lutter contre l'anéantissement auquel il est irrémédiablement voué. La tension dramatique en est accrue. En orientant la main gauche vers l'extérieur, il semble presque désigner le spectateur. Grâce à ce geste subtil, Delacroix, reprenant un procédé qu'il avait déjà exploité dans une académie féminine, identifiée par Lee Johnson comme étant mademoiselle Rose, créait un effet de lumière et de profondeur et rompait ce que la disposition des figures en frise pouvait avoir de trop monotone et plat.

Fig. 20 [cat. 43]
Eugène Delacroix, *Étude pour les murailles de la ville infernale de Dité*.
Paris, musée du Louvre, département des Arts graphiques, RF 9163

de nécessité intérieure le poussant à se jeter sur la toile le pinceau à la main, comme l'imagerie « romantique » voudrait nous le faire accroire, mais plutôt à l'urgence et probablement à un certain manque de métier. Ce n'est que pendant la préparation des *Massacres de Scio*, qu'il prit conscience de ce que cette façon de procéder correspondait à une méthode personnelle : « Je n'aime point la peinture raisonnable. Il faut, je le vois, que mon esprit brouillon s'agite, défasse, essaye de cent manières avant d'arriver au but dont le besoin me travaille dans chaque chose [...]; il faut le reconnaître et s'y soumettre et c'est un grand bonheur. Tout ce que j'ai fait de bien a été fait ainsi[16]. » En 1822, il n'en était pas à ce degré de réflexion sur son art.

16. *Ibid.* (7 mai 1824).

Cette manière de faire n'alla pas sans poser d'importants problèmes. Théophile Silvestre, dès 1856, les mettait en évidence : « Dans son impatience d'arriver à l'aspect définitif du tableau, il s'en [les vernis] sert pour faire vivement sécher ses couleurs et tromper ainsi les lenteurs du métier. C'est par suite de ces moyens imprudents que le tableau le *Dante et Virgile* éclate déjà comme une écorce de chêne[17]. » L'urgence qui le contraignit à abréger les temps de séchage, la façon qu'il eut de superposer les couches de peinture et de déplacer des figures entières finirent par se révéler, quelques années plus tard, désastreuses. Delacroix, encore inexpérimenté mais bien décidé à brûler les étapes, avait joué les apprentis sorciers. Les couches sombres sous-jacentes séchant plus vite que les claires en surface provoquèrent d'énormes craquelures, des gerçures. Le visage de Dante, en 1855, était traversé de ces balafres béantes, laissant apparaître des sous-couches vertes. Alarmé par ces problèmes, le maître écrivit, en décembre 1859, au comte de Nieuwerkerke : « J'ai été frappé des progrès rapides qu'ont fait les gerçures sur mon tableau du *Dante et Virgile*; Il n'est pas difficile de voir que si une réparation radicale [...] n'est pas pratiquée dans un court délai, le tableau sera entièrement perdu[18]. » Delacroix, insistant, finit par obtenir, en février 1860, l'autorisation de le restaurer lui-même. « En parlant de retouches, écrivit-il, je n'ai en vue que la réparation des gerçures malheureusement trop nombreuses qui seront restées après le rentoilage. » Les examens de laboratoire ont confirmé que les gerçures furent anciennement comblées avec une matière picturale identique à celle des zones intactes. Andrieu s'attribue la paternité de la restauration : « Soit que M. Delacroix fût trop absorbé pour le moment, soit qu'il ne voulût pas se donner le souci de réparer les dégâts de son tableau, il me confia le soin de la faire[19]. » Il paraît peu probable que l'artiste, très attaché à la toile et après l'insistance avec laquelle il harcela l'administration, se soit désintéressé de cette restauration particulièrement délicate. En janvier 1861 alors qu'il croyait le travail achevé, de nouvelles craquelures apparurent[20]. L'œuvre ne réintégra le musée du Luxembourg que le mois suivant. L'inconséquence de la jeunesse pesa lourdement sur le destin de ce premier chef-d'œuvre, peint en deux mois et demi à peine.

« Si tu savais à quel point je suis pressé »

On peut s'interroger sur les motifs qui poussèrent Delacroix à vouloir brutalement présenter un tableau au Salon de 1822 et à travailler dans une urgence telle qu'elle finit par compromettre la survie de l'œuvre. « J'ai commencé un tableau. Le Salon est très voisin. Je compte là-dessus pour me faire un peu connaître et obtenir des travaux. Si tu savais à quel point je suis pressé[21]. »

Dès ses plus tendres années, Eugène Delacroix désirait se faire un nom. Avec une espèce d'acharnement qui dépassait la simple recherche calligraphique, il remplissait ses carnets d'écolier de signatures « Delacroix », « de La Croix », « Della Croce », en romain, en gothique, en couleurs... Quelquefois même il faisait précéder son nom d'un pompeux « Monsieur[22] ». En décembre 1815, il confiait à son ami Piron : « J'ai des projets, je voudrais faire quelque chose et... rien ne se présente encore avec assez de clarté [...]. Prie le ciel pour que je sois un grand homme[23]. » On ressent bien là les inquiétudes et les espoirs d'une génération nouvelle qui, sortant des collèges, ne vit plus « ni sabres, ni cuirasses, ni fantassins, ni cavaliers ». « Tous ces jeunes gens », écrivit Musset, « étaient des gouttes d'un sang brûlant qui avait inondé la terre; ils étaient nés au sein de la guerre, pour la guerre[24]. » Delacroix est vraiment le représentant de ces « enfants du siècle[25] », pris entre un passé condamné et un avenir inconnu, mais pour qui, au début des années 1820, tout était encore possible. « Nous avons parlé ce soir de mon digne père. Me rappeler plus en détail les différents traits de sa vie. » Il s'imaginait son père, ancien ministre des Affaires étrangères sous le Directoire, en héros : des conjurés hollandais font intrusion chez lui et le mettent en joue; « Il harangue les soldats ivres et brutaux, sans la moindre émotion[26]. » L'artiste dut se souvenir de cette histoire, vraie

17. Silvestre, 1856, p. 54.
18. Archives des Musées nationaux, dossier P30, Delacroix.
19. Andrieu, 1876, p. 363.
20. *Ibid.*
21. À Mme de Verninac, 16 janvier 1822 (Joubin, 1938, V, p. 105).
22. Bibliothèque d'Art et d'Archéologie, ms. 246 (8), f° 3 v°.
23. À Piron, 11 novembre 1815 (Delacroix, 1954, p. 38).
24. A. de Musset, *la Confession d'un enfant du siècle*, part. I, ch. II.
25. Le « mal du siècle » en moins. Musset, qui avait cinq ans au moment de la chute de l'Empire, n'a guère pu vivre les événements qu'il raconte et il projette ses propres désillusions des années 1830. Au début des années 1820, tout semblait encore possible.
26. Delacroix, 1996 (12 septembre 1822).

ou recréée par son imagination, lorsqu'en 1831, il concourut, avec son *Boissy d'Anglas à la Convention (fig. 87)*, pour la décoration de la salle des séances du palais Bourbon. Ses deux frères aussi participèrent activement aux campagnes napoléoniennes et firent de brillantes carrières militaires. L'un, Charles Henri, finit maréchal de camp honoraire, l'autre, Henri, mourut bravement sur le champ de bataille de Friedland, en 1807. Eugène, comme beaucoup de ses condisciples de lycée, était visiblement fasciné par ces rêves héroïques, que la chute de l'Empire réduisit à néant. Le 29 mars 1814, la veille de l'entrée des alliés à Paris, le jeune lycéen, distrait de ses études par les combats aux portes de la capitale, notait dans l'un de ses cahiers : « mercredi 29 mars : Jour de la canonnade. » Avec la paix, que restait-il à Eugène pour s'affirmer et connaître la gloire ? Il hésitait : la poésie, la musique, la peinture ? La mort de sa mère, en 1814, le laissa dans un grand dénuement; son oncle, le peintre Henri François Riesener, le fit alors entrer dans le célèbre atelier de Pierre Narcisse Guérin[27]. Sa vocation était d'être un grand homme et il deviendrait peintre. La tradition familiale reprenait le dessus; la mère de Delacroix était en effet la fille d'Oeben, le célèbre ébéniste de Louis XVI. La carrière artistique ne constituait donc pour lui qu'une des voies possibles dans l'affirmation de son destin individuel. Il apparaît clairement que son désir de gloire ne relevait, en premier lieu, ni d'une ambition sociale ni d'une vertu classique, mais d'une conscience historique exacerbée. En 1822, dans un raccourci saisissant, il ouvrit son *Journal* à la fois sur sa réussite – *Dante et Virgile aux Enfers* venait d'être exposé au Luxembourg – et sur le souvenir de l'anniversaire de la mort de « sa bien-aimée mère ». Tout se passe comme si ce décès avait conditionné l'orientation de sa carrière. Après l'article élogieux qu'Adolphe Thiers consacra à son tableau dans *le Constitutionnel*, Delacroix pouvait écrire, avec une ironie qui en disait long : « Il [mon neveu] se rengorgera pour M. son oncle et apprendra à respecter un grand homme de plus[28]. » Le rêve de 1815 venait de se réaliser. Son nom, qu'il avait largement inscrit sur la proue de la barque emportant Dante et Virgile, s'étalait désormais dans la presse. « La gloire n'est pas un vain mot. Le bruit des éloges enivre d'un bonheur réel[29] », confiera-t-il un peu plus tard à son journal. Mais ce rêve, Delacroix le savait, pouvait, comme celui de Napoléon, se révéler éphémère. À l'aide d'un vocabulaire martial, il qualifiait la situation de « triomphe », mais de triomphe « à présent »[30].

Dans son enfance, Delacroix connut la gloire et la ruine de sa famille, témoin d'une formidable accélération de l'histoire, il était doté d'une conscience historique très forte. Son audace juvénile cachait une réelle angoisse, caractéristique de ces « enfants du siècle » : celle du temps qui passe et de rester inconnu. La plupart de ses contemporains, tels Thiers, Berlioz, Musset..., réagirent de la même manière; ils produisirent avec une ardeur sans pareille, comme s'ils devaient mourir le lendemain. Dans le cas de Delacroix, le phénomène était accru par d'importants problèmes de santé. Aussi l'opportunité du Salon, au-delà du fait même de pouvoir y obtenir une commande ou de voir son œuvre achetée, devait-elle être saisie sans tarder, d'autant que la périodicité de l'événement était, au début des années 1820, très incertaine. Delacroix s'en ouvrit auprès de sa sœur : « Je serais [...] bien flatté d'avoir le temps de faire quelque chose pour le Salon prochain. Ces expositions se trouvent maintenant avec leurs délais éternels à des époques si éloignées les unes des autres, qu'on a le temps de devenir vieillard dans l'intervalle » et il s'empressait d'ajouter « et il est bon de se faire un peu connaître, s'il y a lieu »[31]. On retrouve bien le narcissisme du jeune homme, que flatterait un tableau au Salon; l'expression « s'il y a lieu », loin de manifester un soupçon d'hésitation, exprime la confiance dans le pouvoir de son inspiration. On pourrait s'étonner des « délais éternels » que l'artiste évoque à l'endroit de la périodicité du Salon. Il avait en effet été décidé, au tout début de la Restauration, de rendre la manifestation annuelle : une exposition eut donc lieu en 1817; en 1818, l'inauguration du musée du Luxembourg consacré aux artistes vivants fit office de Salon; en 1819, la manifestation se déroula tout à fait normalement. En revanche, depuis cette date, les choses se compliquèrent. On en revint à l'exposition bisannuelle. Le Salon aurait donc dû ouvrir en avril 1821, mais, « aucun des artistes placés au premier rang n'étant prêt », il fut repoussé à l'année suivante[32]. Peut-être Delacroix n'apprit-il qu'au printemps 1821 le report de l'exposition. Ce

27. Bibliothèque d'Art et d'Archéologie, ms. 255, notes de Léon Riesener sur Delacroix, f° 1 v°.
28. Delacroix à Mme de Verninac, 13 mai 1822 (Bibliothèque d'Art et d'Archéologie).
29. Delacroix, 1996 (29 avril 1824).
30. *Ibid.*, 3 septembre 1822.
31. À Mme de Verninac, 26 juillet 1821 (Joubin, 1938, V, p. 91).
32. Archives nationales, O3 1394, Forbin au ministre de la Maison du roi, 23 novembre 1820.

délai supplémentaire l'a-t-il encouragé à tenter très rapidement sa chance ? Le Salon ayant été retardé, quand le prochain aurait-il lieu ? Au regard de l'expérience du jeune homme, les délais pouvaient en effet s'avérer « éternels ». En décembre 1821, il soulignait de nouveau l'importance qu'il y avait à ne pas manquer l'événement : « Mais voilà le Salon qui approche, je n'ai plus que quatre mois d'ici là et les expositions sont à des termes trop éloignés les uns des autres pour négliger de s'y montrer, s'il est possible[33]. »

De plus, l'exposition de 1822, en raison de la défection probable de certains artistes parmi les plus célèbres : Gros, Girodet, Guérin, risquait de se révéler particulièrement favorable à la jeune génération, moins soumise, face au public, à cette concurrence écrasante. L'administration des musées, en la personne de son directeur, le comte de Forbin, était parfaitement consciente de la situation. « On ne sait pas très bien ce que fait Gérard ; c'est toujours très mystérieux, mais il est poli et a des manières très bienveillantes. Gros s'occupe peu des autres ; il est toujours aussi aimable de manières ; je le laisse dans son triste coin. Girodet est retiré à la campagne et ne fait plus de peinture. Guérin est ici mais il ne fait plus grand chose non plus. Les jeunes gens feront des grands efforts et le Salon sera je crois très vigoureux[34] », écrivait, en mai 1821, le puissant directeur à son ami le peintre Granet. Les aspirations d'un jeune artiste comme Delacroix rencontraient donc celles du grand ordonnateur du Salon. Depuis 1816, date à laquelle, dans un rapport, il stigmatisa la manière dont l'Empire conduisit sa politique artistique en s'appuyant sur des « peintres courtisans », Forbin n'eut de cesse de prodiguer les plus grandes attentions à l'égard de la jeunesse[35]. Il s'agissait, pour lui, d'affirmer le dynamisme et la vitalité de l'école nationale, tout en célébrant le caractère éclairé du mécénat royal. Malgré tout, l'absence probable des grands noms de la scène artistique en 1822 ne manquait pas de l'inquiéter, car il savait bien que les artistes les plus célèbres décidaient, en grande partie, du succès de ces expositions[36]. Aussi le directeur, lui-même peintre et ancien élève de David, redoubla-t-il d'énergie pour visiter les ateliers à la recherche de talents nouveaux. En décembre 1821, il écrivait de nouveau à Granet : « On travaille beaucoup ici pour l'exposition ; tout est en mouvement. Je crois qu'elle sera belle et nombreuse ; mais je ne vois pas parmi les jeunes peintres d'histoire un homme qui sorte du pair. Tout cela fait assez bien, mais personne ne dépasse son voisin ; enfin, je ne vois pas *un homme* dans tout cela[37]. » À ce moment-là, Delacroix ne devait avoir qu'à peine ébauché sa toile[38]. Les deux hommes se connaissaient depuis 1820, date à laquelle Forbin, à titre d'encouragement, passa commande d'une copie à Delacroix. Le peintre, auquel Géricault venait de demander de le remplacer, écrivit au directeur pour le remercier et décliner l'offre[39]. Ils devaient aussi se croiser dans les salons parisiens qu'ils fréquentaient et dans l'atelier de Guérin. Il n'est donc pas du tout improbable que Forbin, désireux d'affirmer le dynamisme de l'école, ait sérieusement poussé le jeune homme à exposer en 1822.

Surtout en 1822, sa famille autrefois puissante et prospère ayant été complètement ruinée, Delacroix était en butte à de considérables difficultés d'ordre pécuniaire. Il lui fallait donc obtenir une commande de l'État. Il savait bien que le comte de Forbin, toujours dans le cadre de sa politique de soutien à la jeunesse, n'hésitait pas à distribuer des travaux d'encouragement aux jeunes peintres. En 1819, son ami Champmartin en avait obtenu un pour les appartements de Versailles. Pour gagner quelque argent, Delacroix dessinait avec son ami Soulier des machines[40] et produisait des gravures politiques d'inspiration libérale[41]. Il avait bien déjà obtenu quelques commandes, mais c'était insuffisant. En 1819, à bout de ressources, relate Piron « un mécène, tombé du ciel vint me commander, pour l'église de son village près de Paris, une Vierge tenant l'Enfant Jésus, sans compter saint Jean Baptiste, et m'offrit 15 francs pour le tout. Vous jugez qu'ils furent acceptés[42] ! », et l'artiste livra, pour l'église d'Orcemont, la modeste *Vierge des moissons (fig. 21)*. L'année suivante, c'est Géricault, son condisciple dans l'atelier de Guérin, qui chercha à le tirer d'embarras. Le ministère de l'Intérieur avait commandé au peintre du *Radeau de la Méduse* un tableau pour la cathédrale de Nantes, une *Vierge du Sacré-Cœur (fig. 22)*,

33. À Mme de Verninac, 8 décembre 1821 (Joubin, 1938, V, p. 99).
34. Forbin à Granet, 31 mai 1821 (Néto, 1995, p. 70).
35. Voir Chaudonneret, 1999.
36. Archives nationales, O3 1394, Forbin au ministre de la maison du roi, 23 novembre 1820.
37. Forbin à Granet, 13 décembre 1821 (Néto, 1995, p. 86).
38. À Mme de Verninac, 8 décembre 1821 : « Commençant un tableau… » (Joubin, 1938, V, p. 79).
39. À Forbin, 7 juin 1820 (Joubin, 1938, I, p. 67).
40. Joubin, 1938, V, p. 51-54.
41. Voir Athanassoglou-Kallmyer, 1991.
42. Piron, 1865, p. 55.

aujourd'hui dans la cathédrale d'Ajaccio. Géricault, probablement peu inspiré par le thème et devant se rendre en Angleterre, sous-traita, vers juillet 1820, la commande à Delacroix[43], qui commença à y travailler en janvier 1821[44]. Après bien des difficultés, il acheva cette *Vierge*, probablement à l'automne, au moment où il décidait de se présenter au Salon. En décembre, il ne réussissait toujours pas à se faire payer et la situation devenait grave. Enfin, il obtint, au cours de l'été, de décorer la salle à manger de l'hôtel particulier que se faisait édifier le grand acteur Talma. Il semble avoir terminé ce travail au début de l'automne 1821. Malgré ces quelques commandes, l'argent manquait cruellement, d'autant que Delacroix, fier comme pouvait l'être cette jeunesse ruinée par les événements, n'entendait pas se retrouver socialement déclassé; il fallait coûte que coûte maintenir les apparences. Parallèlement, ses études dans l'atelier du peintre Pierre-Narcisse Guérin et à l'École des beaux-arts lui coûtaient cher, tout comme son matériel et ses modèles. « T'ai-je parlé de l'argent que j'ai dépensé en modèles pour mon tableau ? Je dois encore la toile depuis quatre mois et je voudrais bien la payer », se plaignait-il auprès de Mme de Verninac[45]. Même son travail de copie au Louvre grevait péniblement son budget : « Je vais au musée auquel je ne manque guère parce que j'y paie un échafaudage fort cher[46]. » Delacroix se retrouvait donc, en 1821, dans un cercle vicieux; il espérait obtenir des travaux pour gagner sa vie, mais l'obtention d'une commande suscitait, dans un premier temps, des dépenses auxquelles il ne pouvait que difficilement faire face. Ne réussissant pas à se faire payer pour la *Vierge du Sacré-Cœur*, par ailleurs refusée par les chanoines de la cathédrale de Nantes[47], couvert de dettes, il créa *Dante et Virgile* dans des conditions particulièrement pénibles : « J'ai des frais pour le tableau que je fais [*Dante et Virgile aux Enfers*] et l'on me tient toujours en suspens pour le payement de mon autre[48]. » Même si l'idée le travaillait encore en 1822, l'artiste ne pouvait plus se permettre de gravir péniblement tous les degrés du *cursus honorum* qui devait le conduire à l'obtention du prix de Rome. Il fallait aller plus vite.

De toute façon, ses résultats aux concours et aux examens de l'École des beaux-arts ne lui laissaient pas espérer, dans l'immédiat, un séjour romain. En 1820, il tenta le prix et échoua dès la première partie. En 1821, peut-être influencé par Géricault, en raison de son activité, il ne se présenta pas : « J'ai renoncé à courir la chance du prix de l'Académie. Comme je ne désire pas aller à Rome pour y bien manger et dormir dans un palais, je saurai aussi m'y contenter de peu comme je le fais ici[49]. » Pourtant son désir de connaître la patrie de Dante occupait alors toute sa correspondance. Ne bénéficiant pas de la fortune de Géricault, qui put se payer le voyage, Delacroix espérait qu'une réussite au Salon, procurant un peu d'argent, lui permettrait de réaliser ce rêve : « Si on y [à *Dante et Virgile aux Enfers*] fait quelque peu attention, ce sera un motif de plus pour *spronar mi* à t'aller joindre le plus tôt possible. Oui, bon ami : j'entrevois enfin une chose certaine, mon voyage très prochain en Italie. Cette idée me travaille continuellement[50]. » Mais Delacroix n'est pas Ingres.

Fig. 21
Eugène Delacroix,
la Vierge des moissons.
Huile sur toile, H. 1,25; L. 0,74 m.
Église Saint-Eutrope d'Orcemont

Fig. 22
Eugène Delacroix,
la Vierge du Sacré-Cœur.
Huile sur toile, H. 2,58; L. 1,52 m.
Cathédrale d'Ajaccio

43. Bruno Chenique a retracé avec précision l'historique du tableau (Michel, 1991, p. 301-302).
44. À Soulier, 21 février 1821 (Joubin, 1938, I, p. 116, 117).
45. Le 14 avril 1821 (Joubin, 1938, V, p. 79).
46. Delacroix à Mme de Verninac, 30 mai 1820 (bibliothèque d'Art et d'Archéologie).
47. Johnson, 2002, p. 326.
48. À Mme de Verninac, 16 janvier 1822 (Joubin, 1938, V, p. 104).
49. À Soulier, 30 avril 1821 (*ibid.*, p. 128).
50. À Soulier, 15 avril 1822 (*ibid.*, p. 140).

L'Italie dont il rêvait n'était pas celle de l'antiquaire ou de l'étudiant scrupuleux s'adonnant au culte de l'art, à l'admiration de l'antique et des grands maîtres, passant ses journées à copier les chefs-d'œuvre du passé, mais une contrée de soleil, de farniente et de liberté : « Ah ! J'irai quelque jour savourer la paresse sous un ciel encore plus pur que le vôtre. J'irai le soir respirer le frais de la mer à Naples et m'endormir le jour à l'ombre des orangers. J'irai à Rome vivre avec les morts et oublier tout ce qui ne sera pas peinture et amitié[51]. » Delacroix vit dans la péninsule le lieu par excellence de l'évasion, celui qui lui permettrait d'échapper à la France moderne et pragmatique, à ce « pays glacé que j'habite[52] ». Profondément marqué par ses lectures, par Mme de Staël en particulier, pour lui, l'Italie était une terre de contrastes, où même la misère et la ruine se transformaient en spectacle : « Tu iras à Naples sans doute le plus beau et le plus triste pays de la terre[53] » et où le pittoresque des paysages et des physionomies échauffaient l'inspiration : « Es-tu si occupé que tu n'aies pu croquer le Vésuve et les *lazzaroni* ? Qu'il doit y avoir de belles têtes, de belles jambes et de beaux torses paresseux étendus au soleil ou enveloppés dans leurs manteaux[54]. » Avec de telles intentions, on comprend que le jeune homme éprouva quelque réticence à se voir, pour reprendre l'expression un peu provocatrice de Régis Michel, « bureaucrate de l'art et fonctionnaire du beau[55] » à la villa Médicis. C'en était bien fini de l'Italie, mère unique des arts. D'ailleurs, le fantasme de Delacroix n'était plus la classique Rome, mais la pittoresque et populeuse Naples.

Pressé par les événements, à court d'argent, angoissé par le temps qui passe, à la différence d'Hercule à la croisée des chemins, Delacroix choisit le vice contre la vertu, le coup au Salon contre l'étude et l'application qui devaient définir le « bon peintre » : « C'est un coup de fortune que je tente. »

« C'est un coup de fortune que je tente »

Delacroix exposait au Salon, avant même d'avoir achevé le cursus, qui, traditionnellement, était considéré comme nécessaire à la formation d'un vrai peintre d'histoire. En inversant les priorités, il n'innovait pas, mais s'affirmait comme un artiste moderne. Grâce au *Dante et Virgile aux Enfers*, qui n'émanait d'aucune commande et qui n'avait d'autre objectif que de le faire connaître[56], Delacroix se présentait, pour reprendre l'expression très juste d'Oskar Bätschmann, comme « un artiste d'exposition[57] », c'est-à-dire qu'il en appelait directement au public. Il s'introduisait ainsi dans une brèche ouverte depuis David, qui le premier prit conscience du pouvoir de la sphère publique. Dans le cas de Delacroix, en 1822 du moins, l'alternative entre le prix de Rome et l'exposition au Salon ne doit pas être comprise de façon trop exclusive. La position du jeune homme, bien qu'elle engageât de façon déterminante son avenir, ne fut pas, à ce moment-là, de principe. Même s'il s'abstint de présenter le prix en 1821, Delacroix ne semble pas avoir immédiatement abandonné l'idée de passer des concours et, conscient de ses insuffisances techniques, envisagea la possibilité d'entrer dans l'atelier de Gros, qui lui fit des avances. Comme la plupart des artistes romantiques, il fut bien décidé à suivre des études tout à fait classiques dans le système académique. Seulement, poussé par les événements, par son ambition et peut-être par Forbin, il tenta sa chance. Il suivit alors la trace de certains de ses prédécesseurs. Son maître, Pierre-Narcisse Guérin, pourtant grand défenseur de la voie traditionnelle, connut la gloire, au Salon de 1799, avec son *Marcus Sextus*. Certains de ses aînés exposèrent, avec des succès divers, avant même d'avoir cherché à obtenir le prix de Rome. Un comportement nouveau apparaissait, qu'adoptera la génération romantique : en appeler directement aux suffrages du public, avant ou même contre la reconnaissance officielle. Dans l'atelier de Guérin, Scheffer et Géricault jouèrent en 1812 les pionniers, le premier avec *Abel chantant les louanges du Seigneur*, le second avec *l'Officier de chasseurs à cheval* ; aucun des deux n'obtint, à ce moment-là, le succès escompté.

Poussé par son désir de reconnaissance, encouragé probablement par certains de ses camarades et plus ou moins directement par l'administration, Delacroix joua donc la carte périlleuse de l'exposition publique. Dans

51. À Soulier, 26 janvier 1821 (*ibid.*, p 113).
52. À Soulier, 15 septembre 1821 (*ibid.*, p 131).
53. À Soulier, 30 avril 1821 (*ibid.*, p. 25).
54. À Soulier, 30 juillet 1821 (*ibid.*, p. 130).
55. Michel, 1996, p. 3. Régis Michel a bien montré que, dans le cas de Géricault, le voyage italien fut « une année de tristesse et d'ennui ». Un peu plus tard, Berlioz, devenu pensionnaire, n'aura de cesse que d'essayer d'échapper aux obligations romaines de l'Académie de France.
56. Et, en conséquence, d'améliorer sa condition financière.
57. Bätschmann, 1996, p. 681-699.

cette voie incertaine et qui pouvait s'avérer porteuse de graves désillusions, il fit preuve d'une remarquable lucidité et d'une rare conscience des enjeux et des mécanismes du Salon. Aussi livra-t-il une œuvre suffisamment audacieuse pour attirer l'attention, tout en évitant les provocations. Avant de montrer qu'il était un grand peintre, il fallait déjà affirmer qu'il était un peintre. Voilà qui explique le caractère ambigu de *Dante et Virgile aux Enfers*, insaisissable mélange d'audaces et de respect des conventions.

Sur la voie d'une stratégie d'artiste d'exposition, Delacroix avait un grand modèle : Géricault, qui avait comme lui fréquenté l'atelier de Guérin. Même si Géricault « n'était pas précisément son ami[58] », il lui vouait, au début des années 1820, une admiration sans borne. « Je me souviens que je suis revenu enthousiasmé de sa peinture : *surtout une tête de carabinier*. S'en souvenir[59]. » En 1819, il avait été fortement impressionné par *le Radeau de la Méduse*, pour lequel il avait d'ailleurs posé; en sortant de l'atelier, raconte Piron, l'impression produite, sur Delacroix, par le tableau achevé fut si vive qu'il « revint toujours courant et comme un fou jusqu'à la rue de la Planche où [il] habitait alors ». À la fin de l'année 1823, Delacroix assista à l'agonie du malheureux : « Quelle fermeté! quelle supériorité! et mourir à côté de tout cela, qu'on a fait dans toute la vigueur et les fougues de la jeunesse, quand on ne peut se retourner sur son lit d'un pouce sans le secours d'autrui[60]! » Cinq jours plus tard, apprenant la mort de son presque-ami, il citait Michel-Ange : « Porté sur une barque fragile au milieu d'une mer orageuse, je termine le cours de ma vie[61]. » La barque de Michel-Ange est comme un lointain écho non seulement de *Dante et Virgile*, mais aussi du *Radeau de la Méduse*. Le *topos* romantique de la mort fauchant dans la fleur de l'âge un génie non encore accompli venait de se réaliser sous ses yeux.

La composition même du tableau de 1822 rend hommage au *Radeau de la Méduse (fig. 24)* : une barque battue par les flots, des corps jetés au premier plan, le dos de Phlégyas… Au-delà de l'admiration réelle pour le chef-d'œuvre de Géricault, Delacroix comprit probablement que l'une des manières d'attirer l'attention du public serait justement de se mesurer avec la grande toile du Salon de 1819. En réactivant le souvenir de cette scène de naufrage, il pourrait bénéficier d'un peu du succès de scandale, qui en fit la célébrité. L'envie d'opposer un talent naissant qui n'inquiétait personne à un talent plus consacré ne manquait pas de susciter le plaisir de la critique. Bien évidemment, il ne fut pas le seul à en avoir l'idée et l'on observe, au Salon de 1822, la multiplication des barques : Christs sur le lac de Génézareth, barques de Gessler jusqu'à ce mystérieux *Pêcheur napolitain* de Barbier-Walbonne. Géricault, de toute évidence, avait lancé une mode qui répondait aux aspirations du public et faisait le bonheur des peintres à la recherche de sujets nouveaux. Mais le tableau de Delacroix ne peut évidemment être réduit à cette seule marque d'opportunisme. Cette volonté de confrontation avec une œuvre contemporaine est bien la preuve de la conscience historique d'un artiste, qui chercha à suivre une évolution de la peinture. *Le Radeau de la Méduse*, en 1819, avait symbolisé, pour reprendre l'expression d'Arnold Scheffer, la « marche de la nouvelle école[62] » : l'appel au sublime devenait une alternative au beau idéal, dans le cadre d'une peinture d'histoire contemporaine traitée à une échelle monumentale; la qualité de la représentation n'était plus mesurée à l'aune de la seule perfection formelle, mais à celle de la grandeur et de la force. Il convenait donc, à l'opposé des « immobiles », que stigmatisa un peu plus tard la presse favorable aux romantiques, de suivre le sens de cette marche. Pour un débutant, la tâche se révélait ardue. Il lui fallait être « moderne », tout en donnant des gages à la tradition, seule garante de la vraie peinture. Enfin, plus personnellement, le face-à-face avec Géricault devait sanctionner sa propre évolution artistique.

Dans son espoir calculé de succès, le jeune artiste entendait donc réellement entrer en compétition avec son aîné et, pour cela, il était parfaitement armé. Depuis la *Vierge du Sacré-Cœur (fig. 22)* s'était instauré un étrange rapport artistique entre les deux hommes; au fond, c'est en pastichant Géricault que Delacroix réussit à devenir lui-même. Lorsque le premier, partant pour l'Angleterre, sous-traita la commande de cette *Vierge* au second, il était bien entendu que les autorités ecclésiastiques et le ministre de l'Intérieur ne devaient pas se douter de l'arrangement. Quand le préfet de la Loire-Inférieure écrivit à son

58. Delacroix, 1996, 27 janvier 1824.
59. *Ibid.* (30 décembre 1823).
60. *Ibid.*
61. *Ibid.* (4 janvier 1824).
62. A. Scheffer, « Salon de 1827 », *Revue française*, 1828, t. I, p. 197.

ministre pour l'informer de la décision des vicaires généraux du diocèse de Nantes, il ne fit évidemment allusion qu'à Géricault, dont la touche promet « un grand maître[63] ». Ce n'est qu'en 1842 que Batissier, dans un article de la *Revue du XIXe siècle*, révéla toute l'affaire. Mais, à cette date, on ne savait plus ce qu'était devenue la peinture. Aussi Delacroix fut-il contraint de peindre comme Géricault. Il y a une ironie du sort à considérer l'artiste, cherchant désespérément à se faire un nom, débutant sous celui d'un autre. On notera la marque de confiance que ce dernier accorda à un jeune homme qui n'avait encore rien produit laissant augurer de son génie futur. Peut-être est-ce justement cette absence de personnalité artistique et la reconnaissance de talents prometteurs qui conditionnèrent son choix. Quoi qu'il en soit, Delacroix s'acquitta parfaitement de sa tâche. On mesure alors les progrès inouïs accomplis en quelques mois, depuis la *Vierge des moissons (fig. 21)*. Scolaire, elle constituait une paraphrase de *la Belle Jardinière* de Raphaël *(fig. 23)*, même si, dans la pose de l'Enfant Jésus, perçait une monumentalité évoquant déjà peut-être Michel-Ange. Avec la *Vierge du Sacré-Cœur (fig. 22)*, peinte un an plus tard, le climat est profondément différent. Le projet évolua d'une solution baroque animée d'un grand mouvement en diagonale, évoquant celui du *Radeau de la Méduse*, à une configuration plus statique et monumentale. La massivité michelangelesque, l'attention plastique accordée aux corps, la couleur plus sombre, la composition dramatique, le personnage au premier plan absorbé dans ses pensées, inspiré du père du *Radeau*, trahissaient l'influence de Géricault. En même temps, le tempérament de Delacroix, paradoxalement révélé par le pastiche, commençait à percer : la composition discontinue, la séparation stricte des registres, la juxtaposition abrupte de figures isolées se retrouvèrent dans *Dante et Virgile aux Enfers*, tout comme l'image pathétique d'une humanité souffrante. La Vierge, robuste et presque implacable, est comme l'aïeule hiératique de *la Liberté guidant le peuple (fig. 25)*. L'imitation de Géricault l'avait révélé à lui-même, mais en lui faisant courir le risque, énorme pour un artiste qui accordait une valeur capitale à l'originalité, de l'enfermement dans le plagiat. L'hommage que Géricault adressa à l'œuvre, « c'est un tableau que je voudrais signer[64] », laisse entrevoir à la fois l'ampleur du compliment et son danger. Tout se passe comme si *Dante et Virgile aux Enfers*, pour Delacroix, constituait l'occasion de rendre hommage au modèle, tout en cherchant à s'en débarrasser.

Les critiques soulignèrent les affinités entre la toile de Delacroix et *le Radeau de la Méduse*. En 1828, dans un fameux article sur le Salon de 1827, publié dans la *Revue française*, Arnold Scheffer remarquait que, « dans cette première production [*Dante et Virgile*], imitant la manière de Géricault, M. Delacroix annonçait déjà un véritable talent, mais non cette originalité qui distingue aujourd'hui ses ouvrages[65] ». Les termes d'un débat qui agita longtemps les détracteurs et les admirateurs de l'artiste étaient clairement posés : son œuvre entier est traversé d'une tension entre l'originalité et les références. Et les critiques d'avancer l'un ou l'autre de ces qualificatifs. En 1844, le *Journal des artistes*, à propos de la *Pietà* de Saint-Denis-du-Sacrement, se déchaîna contre le peintre : « En résumé, voici M. Delacroix. Il débute par parodier la scène terrible, mais naturelle, du naufrage de *la Méduse*, en montrant dans son Dante un homme rongeant le crâne

Fig. 23
Raphaël, *la Belle Jardinière*.
Bois, H. 1,22 ; L. 0,80 m.
Paris, musée du Louvre, département des Peintures, RF 602

63. Johnson, 2002, p. 326.
64. Michel, Laveissière, 1991, p. 300.
65. A. Scheffer [non signé], « Salon de 1827 », *Revue française*, 1828, t. I, p. 197.

Fig. 24
Théodore Géricault, *le Radeau de la Méduse*, Salon de 1819.
Huile sur toile, H. 4,91 ; L. 7,16 m.
Paris, musée du Louvre, département des Peintures, RF 4884

d'un autre homme. [...] Telle est son originalité[66]. » La dette envers Géricault semblait capitale et servit, pendant longtemps, à diminuer l'importance de Delacroix. Personne mieux que Théophile Silvestre n'a résumé la situation : « On a prétendu que le tableau le *Dante et Virgile* relevait trop directement de Géricault, et l'on ajoute qu'il est le chef-d'œuvre de Delacroix : voilà bien cette tactique si vieille qui consiste à dénier d'abord l'originalité à tout homme nouveau, et à renvoyer plus tard l'auteur à son premier ouvrage, afin de faire entendre qu'il est mort d'épuisement après un coup de maître[67]. »

À y regarder de plus près, les rapprochements entre *Dante et Virgile* et *le Radeau de la Méduse*, pour valides qu'ils soient, doivent être réévalués. D'une certaine manière, *la Mort de Sardanapale*, avec son grand mouvement ascendant, l'accumulation de dos, le bras tendu du personnage sur la droite, l'intervention d'esclaves noirs, doit formellement autant au chef-d'œuvre de 1819 que *Dante et Virgile aux Enfers*. Dans son premier tableau, Delacroix retint essentiellement de Géricault la valeur expressive des anatomies, l'appel au sublime comme alternative à la beauté néoclassique, et la référence à Michel-Ange comme expression la plus parfaite de la grandeur et de la force. La composition en gros plan qui introduit, sans ménagement ni recul, le spectateur dans l'espace de la représentation est probablement aussi tributaire de l'effet de « panorama » du *Radeau de la Méduse*, lui-même hérité de David et de Gros. Delacroix en fut très frappé. En 1819, il s'en ouvrit à Guillemardet : « On a descendu le tableau des Naufragés et on le voit de plain-pied pour ainsi dire. De sorte que l'on se croit déjà dans l'eau[68]. » C'est ainsi qu'il faut comprendre l'expression d'Arnold Scheffer « imitant la manière de Géricault », car la touche et la composition du jeune homme sont profondément différentes de celles de son modèle.

Géricault avait atteint un apparent et paradoxal équilibre entre la modernité et les conventions : la forme respectait globalement les contraintes du grand genre – un

66. *Journal des artistes*, 20 octobre 1844, 2e série, t. I, p. 349.
67. Silvestre, 1856, p. 63.
68. À Guillemardet, 2 novembre 1819 (Delacroix, 1954, p. 105).

Fig. 25
Eugène Delacroix, *la Liberté guidant le peuple*, Salon de 1831.
Huile sur toile, H. 2,60; L. 3,25 m.
Paris, musée du Louvre, département des Peintures, RF 129

espace géométriquement construit autour d'une grande diagonale, une unité d'action, un traitement noble des nus, un grand clair-obscur dramatique –, mais le sujet d'histoire immédiate résistait. Bien plus, chargé de très fortes connotations politiques, il devenait, dans le contexte de la Restauration, scandaleux. La noblesse de la forme n'en rendait le tableau que plus provocateur. Aussi, pour désamorcer l'impact de l'image, ce qui devait être une peinture d'histoire moderne ne fut-il qualifié, dans le livret du Salon, que de « scène de naufrage », réduisant la grandeur de la représentation à une banale scène de genre. Le format en devenait absurde. Avec *Dante et Virgile aux Enfers*, Delacroix inversa la problématique. Le sujet littéraire, tout original qu'il était, ne bouleversait pas fondamentalement le cadre de la grande peinture. En revanche, le style lâché, l'éclatement de la notion d'espace, la richesse et la densité de la matière picturale s'avéraient extrêmement nouveaux et radicalement différents de ce qu'avait proposé son aîné. Delacroix, formellement, allait au-delà, pour porter l'expression jusqu'à une intensité encore inédite et proche, pour certains de ses détracteurs, de la parodie. Il osait la grimace. Pire, il n'hésitait pas à franchir les limites auxquelles Géricault, dans son grand tableau de Salon du moins, s'était arrêté : la sauvagerie humaine jusqu'au cannibalisme. Son sujet cependant le justifiait en partie; la caution littéraire, même un peu suspecte comme pouvait encore l'être celle de Dante, rendait la représentation acceptable. Se mettent alors en place, et comme en chiasme, les ingrédients de ce qui fera, en 1824 et en 1827, la bataille romantique : la dignité et la valeur éthique de la représentation, l'autonomie de la couleur, la dimension politique de l'art.

Tout tournait donc, dans ces années 1820, autour de la question du sujet. Delacroix, qui bénéficiait de l'expérience de Géricault, en était parfaitement conscient. Encore indécis sur ce qu'il allait peindre, il écrivit, le 15 septembre 1821, à son ami Soulier : « Je propose de faire un tableau pour le Salon prochain, dont je prendrai le sujet dans les guerres récentes des Turcs et des Grecs. Je crois que, dans les circonstances, si d'ailleurs il y a quelque mérite dans l'exécution, ce sera un moyen de me faire distinguer. » Dans cette confidence, il exprima très clairement le rapport de hiérarchie entre l'iconographie et l'exécution, avec même une étrange dévalorisation de cette dernière : « s'il y a quelque mérite ». Le sujet était devenu l'étalon auquel se mesurait l'intérêt que l'on allait accorder à l'œuvre. Il fallait frapper fort. Avant d'envisager un sujet inspiré par *la Divine Comédie*, il eut donc l'idée, suivant l'exemple du peintre du *Radeau de la Méduse*, d'illustrer un événement contemporain : la guerre d'indépendance grecque. Delacroix se tenait très au fait de l'actualité et une telle idée manifestait bien ses opinions politiques libérales[69]. Le sujet, en effet, aurait été encore plus audacieux en 1822 qu'en 1824. La guerre venait à peine de commencer. La France, qui avait absolument besoin du soutien de la Russie, se conformait à ses vues, en se maintenant dans une prudente neutralité. Surtout, le parti libéral ayant ouvertement pris fait et cause pour les Grecs, le gouvernement royaliste, qui venait de faire face aux complots des carbonari, tendait à considérer cette guerre de libération comme l'une des branches du vaste mouvement libéral et national qui secouait l'Europe. Aussi devenait-il évident qu'un tel sujet aurait relevé de la provocation. Le jeune homme, avant tout désireux de se faire un nom et espérant une commande de l'État pour survivre, ne pouvait évidemment se permettre ce genre de fantaisie. Il en prit vite conscience et rejeta, pour le moment, le recours à l'histoire immédiate. Quelques rares historiens de l'art, par analogie avec le modèle géricaldien, ont cherché un sens caché, politique, au tableau[70], notamment en raison de l'association entre le chaperon de Dante et le bonnet phrygien et de l'image du poète exilé politique. Ces analyses, pour séduisantes qu'elles soient, relèvent, dans le contexte précis du Salon de 1822, de la surinterprétation. D'une part, Dante, en France, au début des années 1820, n'était pas encore considéré comme une figure politique. D'autre part, à l'inverse de Géricault, Delacroix – le rejet du sujet grec le prouve – prit justement soin d'éviter toute confusion dans l'interprétation de son œuvre. Il tenait essentiellement à attirer l'attention sur lui par ses qualités de peintre et son inspiration, non au moyen d'un scandale politique. Cela ne remet pas en cause sa sensibilité libérale, mais souligne, comme il l'exprima lui-même très clairement, que ses ambitions, au Salon de 1822, furent avant tout professionnelles.

« Une vraie tartouillade »

La conséquence de cette attitude est beaucoup moins anodine qu'il y paraît. La critique suivit l'artiste dans cette voie et s'attacha exclusivement aux données formelles[71]. Bien plus, le sujet dantesque ne sembla pas poser problème. Seul Thiers en exprima la nouveauté. Bien qu'il eût pris le chemin de traverse de la littérature « moderne », Delacroix avait réussi à se poser clairement comme œuvrant dans le grand genre. On mesure alors la part d'audace et celle de respect des conventions, dont le subtil mélange constituait le cœur de sa stratégie d'artiste d'exposition. Pour ce qui est du métier et de la manière, le pinceau audacieux de Delacroix suscita à la fois admiration et réserve; la critique, étonnée, manqua de mots. Selon le témoignage de Riesener et de Jamar[72], le tableau, dans l'un des accrochages du Salon[73], se retrouva au-dessus de la porte d'accès à la grande Galerie, alors plus basse qu'aujourd'hui. Bien en vue, il ne pouvait qu'attirer l'attention des visiteurs. Pourtant, peu de chroniqueurs l'évoquèrent. Il est probable que le sujet difficile, le côté sombre et terrible, la matière empâtée et riche, l'expressionnisme de certaines figures, l'utilisation nouvelle de la couleur déroutèrent.

Or, au tout début des années 1820, les critiques affectaient un parti pris de « neutralité » dans leur jugement. Le directeur des musées ayant fait largement ouvrir l'exposition, ils furent passablement perturbés par le foisonnement qui caractérisait désormais le Salon. « Il n'y a pas d'école principale à laquelle on se rattache en France; c'est que chaque artiste d'après sa tournure d'esprit ou le goût qui lui est propre, ainsi que le cercle dans lequel il vit habituellement, se fait le centre d'une petite sphère[74]. » Dans

69. Athanassoglou-Kallmyer, 1991.
70. Klaus Herding, au détour d'une phrase, visiblement un peu hésitant, émet l'hypothèse qu'en représentant la ville de Dité en flammes, l'artiste aurait fait allusion à la Révolution que « les Français de la Réaction considéraient comme l'enfer sur terre » (Herding, 1989, p. 264). Cette interprétation est contradictoire aussi bien avec le contexte politique de la Charte qu'avec les opinions libérales du jeune Delacroix. Bruno Chenique, au contraire (comm. orale) et de façon plus précise, propose une interprétation révolutionnaire.
71. Rubin, 1987; Rubin, 1993.
72. Michel, Laveissière, 1991, p. 300.
73. Au milieu de l'exposition, le Salon fermait quelques jours et l'on modifiait l'accrochage, de façon à assurer plus d'équité entre les peintres. Aussi, en 1819, les modifications d'accrochage qu'a subies *le Radeau de la Méduse* ne furent pas dues à Géricault, comme on le trouve écrit très souvent, mais au fonctionnement normal de l'événement. Pour toute l'organisation des Salons, voir Chaudonneret, 1999.
74. E. J. Delécluze, *le Moniteur universel*, 8 mai 1822.

ces conditions, comment rendre compte d'une œuvre aussi personnelle sans prendre une position risquant de remettre en cause un système d'interprétation, qualifié pudiquement de neutre ? La bataille romantique se préparait. La critique commençait à prendre conscience, pour le dire positivement, de la diversité de l'école nationale, encouragée d'ailleurs par l'administration royale. Après des années de direction centralisée des arts sous l'Empire et de domination des principes davidiens, de nouvelles voies étaient explorées. Mais la variété des solutions proposées, l'absence d'une ligne directrice unique ne risquaient-elles pas de provoquer un éclatement de la notion même d'école nationale ? Le tableau de Delacroix ne répondait que difficilement aux critères d'analyse traditionnels qui, conformément à la codification du processus de création, séparaient très strictement les « parties » de la peinture : l'invention, le dessin, la couleur, la convenance… L'artiste, qui conçut très largement son ouvrage directement sur la toile et dans un laps de temps extrêmement bref, avait sacrifié les étapes à l'intensité de l'expression, le métier, la norme, à l'audace. La gêne de Charles Paul Landon est très significative[75]. De toute évidence, il ne fut pas insensible à la toile, puisqu'il la reproduisit dans ses *Annales du musée*. Il loua l'effet remarquable qu'elle produit vue à quelque distance, ainsi que l'originalité et le nerf de la composition. Mais, incapable d'en exprimer la nouveauté, il inventa une étrange hypothèse, qu'il réfuta lui-même immédiatement : « Le tableau pourrait être non seulement de plusieurs mains, mais encore d'un pinceau moderne d'après quelque vieux dessin de l'école florentine. » Il tenta en vain, dans son explication, de décomposer (la touche, le dessin, la composition) ce que Delacroix avait justement, consciemment ou non, mélangé. Sa notice alors se délite, se contredit et il est obligé de recourir à une fable. Il critique cette touche « si hachée, si incohérente », qui marque une régression par rapport au degré de perfection formelle auquel était parvenue l'école nationale, c'est-à-dire, selon lui, l'école de David. « Le style de ce tableau […] est étranger aux productions de notre école. » L'adjectif « étranger » est à prendre ici au sens propre. Plutôt que d'envisager l'exploration d'une voie nouvelle dans le cadre de « l'école », Landon rejette hors de l'espace national et de l'époque contemporaine la production étrange du jeune Delacroix. Paradoxalement, alors qu'il condamne la touche, il qualifie le pinceau de « moderne », tandis que le dessin, donc en partie la composition, que pourtant il loue, renverrait à un prototype primitif : « un vieux dessin de l'école florentine ». Visiblement, le critique est perdu, *Dante et Virgile aux Enfers* résiste à ses cadres mentaux, l'oblige à sortir d'une réserve confortable, à prendre position. C'est que Delacroix exposa une œuvre, mêlant audace et respect des conventions, terriblement efficace dans le contexte du Salon.

Au contraire, le très conservateur, et très imprudent, Coupin, dans la *Revue encyclopédique*, s'enthousiasma : « M. Delacroix a montré une énergie profonde ; ce tableau promet un maître[76]. » Des années plus tard, horrifié à la seule idée d'avoir pu prêter sa caution aux débuts du fossoyeur de la peinture, il se repentit : « Quand je vis à l'exposition de 1822, le tableau de M. Eugène de la Croix, représentant un épisode de *l'Enfer* de l'immortel Dante, je ne me serais jamais douté que l'homme qui débutait avec tant de qualités remarquables d'originalité, de dessin et de couleur descendrait si bas et travaillerait avec une inqualifiable persévérance et une plus déplorable efficacité à devenir le représentant d'un rêve absurde et odieux[77]. » Delécluze, excellent connaisseur de Dante, de son côté, qualifia *Dante et Virgile aux Enfers* de « vraie tartouillade[78] ». Retirée de son contexte, l'expression, qui n'a rien de laudatif il est vrai, a généralement été analysée comme la preuve de l'incompréhension du « public » face à cette toile qui aurait cherché à bouleverser fondamentalement les conventions. C'était un peu confondre le Salon de 1822 avec les deux suivants, mais la biographie de l'artiste, ainsi revisitée, devenait tellement plus « romantique ». Dès ses débuts, la modernité de Delacroix aurait été violemment rejetée. Cette interprétation demande à être sérieusement remise en question. James Rubin a montré, au contraire, que *Dante et Virgile aux Enfers* répondait en partie à une attente de la critique[79]. La position de Delécluze doit être précisée. Cet élève de David, dans sa dernière livraison au *Moniteur universel* pour le Salon de 1822, souligna que, face à l'abondance de l'exposition, il n'avait traité que des productions les plus dignes

75. Sur Ch. P. Landon, voir McKee, 1990.
76. P.A. Coupin, « Notice sur l'exposition des tableaux en 1822. Quatrième et dernier article », *Revue encyclopédique*, t. XVI (1822), p. 19.
77. Bibliothèque d'Art et d'Archéologie, fonds Bruyas-Burty, VI, 3.
78. E. J. Delécluze, *le Moniteur universel*, 18 mai 1822.
79. Rubin, 1987 ; Rubin, 1993.

d'intérêt; Delacroix en faisait donc partie et il loua l'énergie et le talent visibles dans le corps des damnés. De plus, il fit lui-même remarquer que le terme de «tartouillade» devait être compris en «style d'atelier», c'est-à-dire comme définissant un tableau lâchement dessiné où l'on a tout sacrifié à l'éclat des couleurs. En ce sens, et au regard de la manière dont Delacroix procéda sur sa toile, on pourrait dire, de façon certes peu amène, que *Dante et Virgile aux Enfers*, pour des yeux habitués à l'ordre classique, devait apparaître effectivement comme une «tartouillade». Enfin, il convient d'éviter tout anachronisme. En 1822, Delacroix était un jeune inconnu, un débutant absolu; on le traitait donc comme tel. Dans les journaux, cette catégorie «des jeunes gens [...] dont les ouvrages méritent d'être distingués» est envisagée à part, souvent dans la dernière livraison. Pour l'instant, comme le remarquait Coupin, Delacroix ne faisait que promettre. Aussi les critiques, surtout si, comme Delécluze, ils étaient peintres eux-mêmes, prodiguaient-ils conseils ou encouragements. Dans ce cas précis, il s'agissait plutôt d'une mise en garde : «La force conduit à l'étude [...] il faut absolument qu'il fasse un bon tableau pour le premier [*sic*] Salon : car on ne passe pas deux essais de ce genre.» L'œuvre fut comprise comme expérimentale, voire comme une esquisse à grande échelle. On mesure alors mieux le scandale des *Massacres de Scio* deux ans plus tard. Ce qui, en 1822, passait pour une audace mal contrôlée, bien excusable de la part d'un débutant, devenait une réelle provocation. Non seulement l'artiste n'avait pas écouté les conseils, mais il fit plus grand, plus horrible, plus lâché, et aussi plus politique.

Pour l'heure, *Dante et Virgile*, malgré l'audace dans le choix d'un sujet terrible et d'un pinceau impétueux, donnait le change, en bien des points, aux partisans de la tradition. L'unité du sujet, le format, la dimension historique, l'expression des passions humaines répondaient, en apparence du moins, aux conventions de la peinture d'histoire. Delacroix, désireux de démontrer ses qualités de peintre, jeta, au premier plan et en pleine lumière, des nus pleins d'énergie et de puissance. Variant, non sans ostentation, les poses et les éclairages, il fit preuve d'une virtuosité qui suscita l'approbation générale. Adolphe de Loeve-Veimars, dans *l'Album*, alla même jusqu'à qualifier la toile de «classique» : «Cette belle composition de M. Delacroix est encore de celles que l'unité du sujet doit faire placer au nombre des ouvrages que je serais tenté de nommer *classiques* en peinture[80].» À la différence du rédacteur de *l'Album*, Delécluze, tout admiratif qu'il était de la vigueur des figures, était trop fin connaisseur et trop bon observateur des progrès de «l'École» pour ne pas se rendre compte du danger potentiel qui couvait sous ce pinceau. Son compte-rendu prit alors la forme d'une admonestation. Par l'emploi du vocable quelque peu humiliant de «tartouillade», il rappelait à Delacroix qu'il n'en était qu'au stade de l'expérimentation et qu'il était encore temps, avec son talent, de suivre les bons préceptes.

Dans un fameux article du *Constitutionnel*, Adolphe Thiers, jeune avocat ambitieux fraîchement arrivé de Marseille, incita au contraire Delacroix à persévérer : «qu'il avance avec persévérance; qu'il se livre aux immenses travaux[81]». Puis il s'empressa d'ajouter : «l'opinion que j'exprime ici sur mon compte est celle d'un des grands maîtres de l'école». L'identité de ce «grand maître» fit couler beaucoup d'encre : s'agissait-il de Gérard, comme on l'affirme généralement, ou plutôt de Gros, qui qualifia le tableau de «Rubens châtié»? L'anecdote est-elle vraie ou Thiers, conscient de son audace à soutenir aussi vaillamment un inconnu alors qu'il ne possédait aucune compétence particulière en la matière, se retrancha-t-il derrière cette mystérieuse formule? Quoi qu'il en soit, son intuition fit, dès le Salon suivant, figure de prémonition et sa réputation était acquise. Il était devenu le découvreur de Delacroix; Baudelaire le citait encore vingt-cinq ans plus tard. Thiers profita de l'occasion du Salon pour obtenir une certaine notoriété[82]. En écrivant du «neuf» dans un puissant quotidien d'opposition et en se démarquant des autres chroniqueurs, il cherchait, comme Delacroix, à se faire remarquer; comme lui, il était doté d'une conscience historique forte qui lui permettait de sentir les évolutions : «Je vais retracer en peu de mots la marche des arts du dessin, leurs progrès, leurs fortunes diverses.» Ambitieux et intelligent, fréquentant les salons parisiens, dont celui du premier peintre du roi, le baron Gérard, il dut très vite saisir l'intérêt que *Dante et Virgile* suscitait dans les milieux les plus autorisés. Aussi se

80. A. de Loeve-Veimars, «Salon de 1822 - n° VII», *l'Album*, t. V, 10 juin 1822, p. 262.
81. A. Thiers, «Salon de 1822 (5e article)», *le Constitutionnel*, 11 mai 1822.
82. Sur la manière dont Thiers utilisa la critique d'art pour se faire connaître, voir Chaudonneret, 1998 et Chaudonneret, 2004.

décida-t-il à en faire un éloge appuyé et audacieux, qu'il couvrait d'une mystérieuse caution. Les intérêts du peintre et ceux de l'avocat convergeaient. Delacroix profitait de l'occasion que lui offrait le Salon pour tenter un coup de fortune et se faire remarquer; Thiers, conscient de l'impact médiatique de l'exposition et de la vogue pour la critique d'art dans les journaux, tirait habilement parti d'un tableau original et novateur pour sortir de l'ombre. Tous deux, contrairement à nombre de leurs collègues, firent preuve d'un pragmatisme à la hauteur de leur impatience. On observe alors une sorte de solidarité générationnelle résultant de stratégies de carrière similaires, mais répondant à des objectifs parfaitement individualistes. Thiers et Delacroix ne se connaissaient pas; ils ne firent connaissance qu'après 1824. En 1822, ils ne cherchèrent d'ailleurs pas à se rencontrer. Tous deux avaient envisagé le Salon comme le lieu de leur première gloire, chacun avait tiré les bénéfices de l'action de l'autre, sans autre forme de procès. Bien des années plus tard, Delacroix s'étonna de sa négligence à remercier ce premier admirateur : « Gérard m'invita à Auteuil [la scène se situe après le Salon de 1824], où je vis cet ami inconnu, qui ne me parut pas du tout étonné de mon peu d'empressement à le rechercher après tout ce qu'il avait fait pour moi. » Puis, il ajouta : « Quand depuis, il se trouva la situation de m'être utile d'une autre manière, il le fit avec la même simplicité[83]. » En effet, Thiers, onze ans plus tard, devenu ministre de l'Intérieur, lui confia sa première commande de grand décor[84] : le salon du Roi du palais Bourbon. Il mettait, en quelque sorte, un point final à l'époque héroïque commencée en 1822.

Le Salon de 1822, à en croire Arnold Scheffer, marqua une pause dans les progrès de la nouvelle peinture. Face au foisonnement des talents et à l'absence d'un pinceau suffisamment puissant et audacieux pour cristalliser les positions, comme Géricault avait pu l'être en 1819, la critique se trouvait embarrassée. L'obscur Delacroix, qui, prudemment, exposait une œuvre ambiguë, balançant entre audace et respect des conventions, put apparaître aux yeux des plus fins observateurs comme l'un des points d'ancrage possible du feu qui couvait, mais le danger n'apparaissait pas encore clairement. L'artiste, en cherchant à répondre au *Radeau de la Méduse*, soulignait indirectement l'importance de cette œuvre et le caractère inéluctable de l'esprit nouveau qu'elle avait insufflé à la peinture française. La presse jouait un rôle considérable : le libéral Thiers l'encourageait, le non moins libéral Delécluze menaçait, mais les positions, qui dépassaient les clivages politiques, ne s'étaient pas encore radicalisées. Deux générations commençaient à s'opposer : celle qui, née sous l'Ancien Régime, avait porté les idéaux de la Révolution et celle qui parvint à l'âge adulte au moment de l'effondrement de ces idéaux. Ce qui était en jeu depuis 1819, c'était bien la dimension idéale et politique, au sens traditionnel, de l'art : Géricault avait pu être critiqué pour sa scène de naufrage, mais la grandeur et la noblesse de la composition forçaient l'admiration. Delacroix, qui, en 1822, ne jouissait ni de la maîtrise technique, ni de l'assurance de son aîné, évita soigneusement un sujet contemporain, qui aurait pu apparaître comme trop provocateur; il refusa aussi l'*exemplum virtutis* néoclassique et proposa, à une échelle « monumentale » qui manifestait son ambition de peintre d'histoire, quelque chose de nouveau : la peinture littéraire moderne. Dans *Dante et Virgile aux Enfers*, cependant, le « message », la dimension didactique propre à la peinture d'histoire, reste, à dessein, dans le flou. En 1819, la critique n'avait pas manqué de souligner le décalage, dans *le Radeau de la Méduse*, entre le fond et la forme, qui faisait d'ailleurs toute la nouveauté de la représentation. Géricault parle bien, mais il n'a rien à dire, s'exclamait Delécluze. Delacroix, en 1822, biaisait. Il avait bien quelque chose à dire puisqu'il tirait son inspiration de sa culture littéraire, mais il s'exprimait d'une façon étrange et imparfaite. De plus, Dante, auquel il faisait référence, étant très mal connu, la critique resta généralement muette sur le fond, pour se concentrer sur la forme. Delacroix avait réussi son pari : son tableau n'avait pas laissé indifférent, il s'était fait remarquer, on avait reconnu ses qualités, mais, de façon insidieuse, les termes du débat sur le romantisme en peinture commençaient à se mettre en place. En 1824, avec son épisode tiré de la guerre de libération grecque, il traduira, d'un pinceau provocateur, l'horreur du sujet contemporain et les *Massacres de Scio* deviendront les « massacres de la peinture[85] ».

83. Piron, 1865, p. 63.
84. En 1826, Delacroix avait déjà obtenu, de la Maison du roi, la commande d'un panneau pour les salles du Conseil d'État au Louvre : *Justinien dictant ses lois* (détruit).
85. L'expression est prêtée par Piron à Gros, qui fut pourtant un admirateur du *Dante et Virgile*.

Delacroix, Dante et la peinture littéraire

« Tu verras Ugolin se tordre les bras de rage » : de la lecture à la traduction

Le choix de Dante comme source d'inspiration manifestait très clairement, de la part de Delacroix, le désir de s'insérer dans une modernité, avec ce que cela pouvait supposer de conscience historique. Jacqueline Risset a bien montré que l'histoire de la lecture de Dante en France fut celle d'une absence. Alors qu'en Angleterre, grâce à Chaucer, *la Divine Comédie* fit très tôt partie de la culture nationale, en France, « Dante entra, en quelque sorte, déjà refusé[86] ». Sa poésie, avec son hétérogénéité des niveaux linguistiques, son expérimentation verbale incessante, son imagination sans cesse renouvelée, ses excès, s'opposait point par point à la tradition littéraire française, jusqu'à disparaître complètement au XVIIe siècle. Il fallut attendre la fin du siècle suivant, avec le très critique et ambigu Voltaire et surtout la traduction de *l'Enfer* par Rivarol, imprimée en 1783, pour que la France redécouvrît Dante, parallèlement à l'intérêt croissant pour cet autre auteur « bizarre », si étranger au génie national, Shakespeare[87]. Lorsque Delacroix exposa *Dante et Virgile aux Enfers* au Salon, le poète florentin commençait à sortir de son purgatoire. Des études lui avaient été consacrées, dont les deux plus importantes étaient celles de Guinguené dans son *Histoire littéraire de l'Italie*, publiée en 1811, et celle de Sismondi, parue, deux ans plus tard, dans *De la Littérature du Midi de l'Europe*[88]. Les traductions, de *l'Enfer* seul bien souvent, commencèrent à se multiplier, dont celle d'Artaud de Montor, grâce à laquelle toute une génération (Ingres en particulier)[89], se familiarisa avec *la Divine Comédie*. Les écrivains ne furent pas en reste. Chateaubriand, dans *le Génie du christianisme* (1802), considéra l'œuvre du Florentin comme une preuve de la valeur poétique du christianisme. En 1819, Népomucène Lemercier, influencé par les cours publics de Guinguené, rédigea, à l'imitation de *la Divine Comédie*, une *Panhypocrisiade* que Delacroix évoque dans son journal[90]. Plus tard, Stendhal alla jusqu'à affirmer, dans *Racine et Shakespeare*, que « le poète romantique par excellence, c'est le Dante ». Pourtant, tous émirent de sérieuses réserves sur cette littérature. S'ils en soulignaient la grandeur, ils n'en dénonçaient pas moins les défauts : le caractère étrange et fastidieux de l'invention, l'absence totale de goût, l'excès, expression des âges obscurs où vivait l'auteur... Si l'on aimait Dante, c'est parce que ses qualités l'emportaient sur ces défauts, alors jugés bien réels et presque rédhibitoires, et parce que commençait à percer, de façon plus ou moins diffuse, la conscience de son importance *historique*.

Malgré tout, la connaissance du grand poème de Dante restait, en général, bien superficielle. Pour la plupart des contemporains, l'intérêt de l'ouvrage se résumait à quelques épisodes récurrents, tous extraits de *l'Enfer* : essentiellement l'histoire d'Ugolin (*Enfer*, XXXIII) et surtout celle de Paolo et Francesca (*Enfer*, V). Les artistes français, avant Delacroix, suivant le mouvement, s'attachèrent surtout à représenter les amours malheureuses de deux amants, créant, dans un esprit « troubadour », des scènes émouvantes et pittoresques, servies par une touche porcelainée, à mille lieues de l'intensité dramatique de ce

86. Risset, 1982, p. 218.
87. Chez Ducis, signale J. Risset, les deux œuvres finirent par fusionner et le comte Ugolin devint un vieux Montaigu !
88. Pitwood, 1985.
89. Un dessin préparatoire pour son *Paolo et Francesca* porte une dédicace à Artaud de Montor, avec lequel il se lia d'amitié à Rome.
90. Delacroix, 1996 (4 et 7 avril 1824).
91. Voir M.-Cl. Chaudonneret, « Dalla scena 'troubadour'all'evocazione dell' Inferno », *Sventurati amanti. Il mito di Paolo e Francesca nell'800*, Milan, 1994, p. 19-24.

Fig. 26
Coupin de La Couperie, *les Amours funestes de Françoise de Rimini.*
Huile sur toile, H. 1,01 ; L. 0,82 m. Arenenberg, Napoleonmuseum

passage, où Dante, d'émotion, s'évanouit[91]. Au Salon de 1812, Coupin de La Couperie remporta un grand succès avec le « prototype » de ces images, *les Amours funestes de Françoise de Rimini (fig. 26)*. Ingres, en 1819, par la trouvaille du livre suspendu dans sa chute, réussit à rendre un peu de la tension du texte *(fig. 27)*. Parallèlement, on publiait, en France, les gravures pour *la Divine Comédie* de l'Anglais John Flaxman et, au Salon de 1812, Sophia Giacomelli, fille du graveur Janinet et future Mme Chomel, présentait des illustrations de son cru.

Ainsi, en 1822, la référence à l'œuvre de Dante, en dehors des lieux communs autour de Paolo et Francesca et d'Ugolin, se révélait, en France, pour le moins ambiguë. Le choix de Delacroix s'avéra donc bien plus original que le spectateur moderne, fasciné par la lecture de *la Divine Comédie*, peut le supposer de prime abord. Thiers le souligna; il fut l'un des rares critiques à porter un jugement sur le sujet choisi par l'artiste, qu'il qualifia de « si voisin de l'exagération ». Affirmant indirectement le danger de prendre comme source d'inspiration le Florentin, il n'en exalta que plus le « génie » du peintre d'avoir su éviter les écueils, sur lesquels son audace risquait de le faire échouer. Le sujet de Delacroix se révèle donc passionnant, parce qu'il est le témoin de ce moment où la fortune critique de Dante commençait à devenir plus franchement positive. L'artiste saisit parfaitement l'esprit du temps. En cela, il s'inscrivait dans la lignée de Mme de Staël, par ailleurs liée aussi bien à Chateaubriand qu'à Guinguené et à Sismondi. Elle joua, avec *Corinne* (1807), un rôle décisif dans la diffusion, en France, du poème de Dante, exilé comme elle, et fut l'une des premières à lire et à apprécier *la Divine Comédie* dans son intégralité. La grande improvisation de son héroïne au Capitole, sommet émotionnel du roman, est un hymne à la gloire de « l'Homère des temps modernes, poète sacré de nos mystères religieux, héros de la pensée [...] qui plongea son génie dans le Styx pour aborder l'Enfer ». On croirait presque une préfiguration du programme pour la coupole de la bibliothèque de la chambre des Pairs, peinte par Delacroix au début des années 1840. Mme de Staël, la première, mettait l'accent sur la profondeur et la dimension centrale de la pensée chez Dante. Or, le peintre connaissait parfaitement l'œuvre de ce grand écrivain. G. P. Mras a montré tout ce que l'artiste lui devait; il alla même jusqu'à la plagier[92]. En 1822, justement, il relisait *Corinne*. Le 7 septembre, il recopia, dans son journal, un passage du roman, où l'auteur évoque la rencontre, au Purgatoire, de Dante et d'un des plus célèbres chanteurs de son temps. « Sujet admirable de tableau » ajouta le peintre. De plus, Delacroix fréquentait peut-être déjà le

Fig. 27
Jean-Dominique Ingres, *Paolo et Francesca.*
Huile sur toile, H. 0,48; L. 0,39 m. Angers, musée des Beaux-Arts

92. Mras, 1966.

salon de Gérard, que sa passion pour «il grande padre Alighieri» liait à Ginguené[93]. Bien plus tard, le baron Gérard dira à Delacroix que «ce qu'il y a de préférable [dans la vie], c'est *l'Enfer* et l'atelier[94]». Au Salon de 1822, d'ailleurs, le premier peintre du roi triomphait avec sa *Corinne au cap Misène*, à laquelle il avait donné les traits de Mme de Staël, disparue cinq ans plus tôt. La représentation par Delacroix d'un épisode mettant en scène Dante lui-même, bien qu'absolument inédit à cette date, correspondait donc au goût d'une élite cultivée, cosmopolite et moderne, qui entendait rompre la «grande muraille de Chine[95]» que le classicisme avait érigée autour de la France. Par sa famille, maternelle notamment, l'artiste appartenait culturellement à ce milieu.

Mais ce déterminisme, pour important qu'il soit, n'épuise pas la question et surtout n'explique pas cette intime compréhension de *la Divine Comédie*. Entre 1818 et 1822, Delacroix se révéla, d'après sa correspondance et ses carnets, un lecteur passionné. Particulièrement sensible aux auteurs classiques, Virgile et Horace surtout, il n'en lisait pas moins avidement les modernes : Rousseau, Bernardin de Saint-Pierre, Chateaubriand, mais aussi Shakespeare, Schiller, Otway, Lewis... Dans cet éclectisme tout à fait caractéristique d'une génération formée, dans les lycées, au goût des humanités, mais curieuse de tout et ouverte aux cultures extérieures, Delacroix portait Dante au pinacle. Il n'est pas une lettre évoquant la littérature où l'Alighieri n'apparaisse. La première trace connue de cet intérêt remonte à ses années de lycée. Dans l'un de ses carnets d'écolier, daté de 1814[96], il a recopié le début du chant III de *l'Enfer*, où est décrite la porte de la cité dolente. Le fait que ce passage soit très proprement calligraphié et qu'il figure à la suite d'un cours de grammaire italienne laisse supposer que le jeune étudiant ne l'a pas recopié de son propre chef; l'étude de certains chants de *la Divine Comédie* faisait, de toute évidence, partie de l'enseignement délivré par le lycée impérial. Marqué du sceau de la pensée voltairienne et désireux de souligner le caractère grandiose de la geste napoléonienne, cet enseignement accordait une place particulière à l'épopée; le poème de Dante, dans ce contexte, devait être interprété comme tel[97]. Il est probable que le souffle épique qui traversa tout l'œuvre de Delacroix trouva l'une de ses origines dans cette formation scolaire. À cette lecture particulière de *la Divine Comédie*, propre à satisfaire le besoin d'émotions fortes de la jeunesse, s'en ajouta, quelques années plus tard, une autre, plus sombre. Dans un carnet de la Bibliothèque nationale, datable aux environs de 1818[98], Delacroix a recopié des passages des *Martyrs* de Chateaubriand et surtout de très longs extraits du *Moine* de Lewis, roman noir, mêlant érotisme, surnaturel incantatoire et visions démoniaques. Les épisodes choisis, extraits d'une traduction de 1799 qui avait connu un succès formidable[99], sont parmi les plus impressionnants de cet ouvrage «gothique» : le portrait du prédicateur, l'épisode du sacrilège, le viol d'Antonia et la prise d'Ambrosio par le démon. Delacroix, lecteur actif, ne se contente pas de recopier, il éprouve le besoin «d'illustrer» ou plutôt de transcrire, sur un mode personnel, sa lecture[100]. Aussi *le Moine* lui inspire-t-il un poème, involontairement parodique – «la romance lamentable et véridique du temps passé» –, et surtout un grand nombre de rapides dessins, qui confèrent au carnet une connotation quelque peu morbide : des monstres, des personnages terrifiés, des hommes s'entre-tuant, des crucifiés... et, au milieu de l'une des plus belles pages, Dante effrayé dans les bras de Virgile *(fig. 28)*. Contrairement à ce que pensait Pierre Courthion, ce dessin ne nous semble pas devoir être considéré comme une étude pour *Dante et Virgile aux Enfers*, à laquelle Delacroix n'a pensé qu'à la fin de l'année 1821; il s'agit plutôt d'une association d'idées directement liée à la lecture du *Moine*. L'artiste, dans ses carnets de jeunesse, est coutumier du fait; bien souvent, le texte suscite immédiatement une image, rapidement esquissée en marge ou sur la page en vis-à-vis. À la lecture d'une *Divine Comédie* conçue comme une épopée se

93. Lettre de Guinguené à Gérard du 31 décembre 1815 (Gérard, 1867, p. 214).
94. À Rivet, 16 mai 1830 (Joubin, 1938, I, p. 255).
95. Mme de Staël, *Corinne*, VII, ch. II.
96. Paris, Bibliothèque d'Art et d'Archéologie, ms. 246 (15).
97. L'examen des versions et des thèmes latins, que le jeune Delacroix eut à traiter, souligne la présence très marquée de la dimension épique; si les thèmes stoïciens ou moraux sont quelquefois présents, notamment ceux liés à l'amitié, l'essentiel est constitué de récits de batailles, de discours de généraux en chef, de morts héroïques. Il y a là comme un miroir de l'épopée impériale.
98. Bibliothèque nationale de France, département des Manuscrits. Voir P. Courthion, «Un carnet inédit de Delacroix», *l'Œil*, 1969, p. 17-21. Le peintre y évoque l'ouverture prochaine du musée du Luxembourg, inauguré en 1818.
99. M.G. Lewis, *le Moine*, trad. de J. P. Deschamps, J.B.D. Deprès, P.V. Benoist et P.B. de Lamare, Paris, Maradan, 1799.
100. Le jeune Delacroix semble avoir éprouvé un vrai engouement pour le roman noir, au point d'en imaginer lui-même. Dans un manuscrit récemment réapparu (catalogue Thierry Bodin, septembre 2002, n° 79), il envisageait de donner une suite morbide à *Don Juan*.

Fig. 28 **[cat. 3]**
Eugène Delacroix, *Dante et Virgile.*
Paris, BNF, département des Manuscrits, Album ms. N.A.fr. 13.296, fol. 12v°

superpose alors celle d'une *Divine Comédie* proche du roman noir. Delacroix ne pouvait échapper à cette conception qui était celle de son temps; les traducteurs du poème, même ceux qui, comme Artaud de Montor, cherchaient à être le plus fidèle au texte, accentuaient systématiquement le registre terrible jusqu'au mélodramatique, surchargeant leur prose d'adjectifs comme « immonde » ou « infâmes »[101]. Il n'y a rien d'étonnant alors à ce que la lecture du roman de Lewis, voire celle de l'épisode infernal des *Martyrs* (qui doit en réalité plus à Milton qu'à Dante), ait immédiatement suscité, chez Delacroix, des visions dantesques, mais sa connaissance du poème était beaucoup plus intime et intelligente. Loin de réduire *la Divine Comédie* à une appréhension univoquement sombre du texte, Delacroix semble au contraire en avoir perçu l'infinie complexité.

Dans une lettre à Achille Piron, datée du 16 septembre 1819, où éclate ce désir d'Italie, dont la lecture de Dante est l'un des stimuli majeurs, il écrivit : « C'est quand tu seras assez avancé pour entendre le sublime poète que tu béniras l'heure où t'es venu d'étudier sa langue. Quelle vigueur, quelle imagination, quelle douceur et quelle tendresse dans d'autres lieux. Tu verras Ugolin se tordre les bras et se les mordre de rage. Tu entendras les plaintes touchantes de ses pauvres enfants [...]. Tu verseras des larmes aux regrets si doux et si amers de Françoise d'Arimini [...]. Toutes les fois que je pense à ces belles conceptions, mon âme s'échauffe, il faut que j'épanche ce que j'éprouve et que je le communique à un ami[102]. » Comme ses contemporains, il met l'accent sur Ugolin et Francesca, mais, dans cette espèce de raccourci saisissant reliant les deux épisodes, il ne souligne que mieux l'extraordinaire variété des climats, la versatilité inouïe des émotions contenue dans le poème : de la douleur à la rage, de la rage à la compassion, de la compassion à la tristesse, de la tristesse à l'horreur...

101. Risset, 1982, p. 225.

102. Piron, 16 septembre, 1819 (Delacroix, 1954, p. 71).

Toute la gamme des sentiments est sollicitée. L'insistance sur les verbes d'action, « voir », « entendre », « verser », « s'échauffer »... dit bien que la lecture de Delacroix est une lecture « active », du moins face à des œuvres aussi fortes. Quelques jours plus tard, le 8 octobre, s'adressant toujours au même ami et probablement avec Dante en tête[103], le peintre exprima sa frustration face à ce que nous appellerions aujourd'hui la « lecture pour la lecture » : « Moi, je trouve dans les livres des passages que je voudrais saisir avec autre chose qu'avec les yeux. Je sens si bien ce qu'ils me disent, je vois si bien ce qu'ils me peignent, que je m'indigne à la fin contre cette page muette d'un vil papier qui m'a remué si fortement et qui me reste seule entre le mains. » Pour le moment, ce besoin de sublimation aurait trouvé à s'exprimer dans l'échange avec un ami, mais, d'une part, Piron ne connaissait pas suffisamment bien l'italien, et, d'autre part, Delacroix était conscient de ce qu'il ne pouvait s'agir là que d'un pis-aller. Il fallait saisir le livre avec autre chose qu'avec les yeux.

La traduction, comme chez beaucoup d'autres romantiques, constitua alors pour le peintre l'un des moyens de s'approprier le poème de Dante, qui suscitait chez lui tant d'échos, et d'animer « ces pages d'imprimerie qui ne présentent d'abord à l'œil que des mots et des combinaisons de caractères inconnus ». « C'est pour moi un supplice que de chercher des mots dans un dictionnaire », déclara-t-il à Félix Guillemardet, « mais quand on a eu la force de surmonter ce dégoût, quel plaisir c'est de conquérir toutes ces idées les unes après les autres et de les laisser derrière soi comme des ennemis qui n'inquiètent plus. » Puis, il ajoutait : « Quelquefois au milieu de mes chasses, quand mon ardeur pour la proie diminue, je me rappelle Ugolin que j'ai eu la présence d'esprit d'apporter »[104]. Et le texte de Dante resurgit brutalement, étrangement : le supplice atroce d'Ugolin, condamné à dévorer le crâne de l'évêque pour avoir mangé ses propres enfants, ranime en lui l'instinct carnassier. Delacroix ressemble à ces félins qu'il n'a cessé de dessiner et de peindre. En même temps, la chasse est bien une métaphore de la lecture et la résistance d'Ugolin, qui réveille les ardeurs, est celle du texte de Dante. Un mois plus tard, il semble être partiellement venu à bout de sa proie et livre à Guillemardet son essai de traduction : « Le morceau est d'une difficulté inouïe. Il y a dans l'original une trivialité sublime qui fait frissonner. Le style se traîne comme pour vous faire passer avec Ugolin ces six mortelles journées[105]. » Delacroix est un vrai lecteur : il ne s'attache pas seulement à la narration, qu'elle soit perçue comme épique ou noire, mais saisit l'importance de la langue, la richesse du tissu poétique, la valeur expressive de la *rima terza* et les variations de rythme qu'elle permet. Aussi la traduction qu'il envoie à son ami est-elle, malgré ses inexactitudes, d'une modernité inédite. Dans un carnet aujourd'hui conservé au Louvre, il récidiva, en traduisant les quelques vers du chant III consacrés à la barque de Charon *(fig. 30)*. « La langue de Dante », remarque Jacqueline Risset, « y prend tout à coup une vigueur et une densité très nouvelles par rapport aux traductions connues[106]. » La musique du poète florentin, comme il en témoigna dans son journal, échauffa d'ailleurs son inspiration pendant la réalisation même du *Dante et Virgile* : « La meilleure tête de mon tableau du *Dante* a été faite avec une rapidité et un entrain extrêmes, pendant que Piétri me lisait un chant du Dante, que je connaissais déjà, mais auquel il mettait, par l'accent, une énergie qui m'électrisa[107]. » Avec cette seconde tentative de rendre en français des passages de *l'Enfer*, une étape nouvelle était franchie. La traduction ne suffisait plus. Sur la page voisine, le texte donna immédiatement naissance à un dessin illustrant la scène *(fig. 30)*. La traduction faisait désormais partie intégrante de la préparation du tableau; la lecture se trouvait bien au cœur du processus de création[108].

« Je voudrais étaler sur une toile brune ou rouge de la bonne grasse couleur et épaisse. Ce qu'il faudrait donc pour trouver un sujet, c'est d'ouvrir un livre capable d'inspirer et se laisser guider par l'h[umeur]... Il y en a qui ne doivent jamais manquer leur effet. Ce sont ceux-là qu'il faut avoir. De même que des gravures. Dante, Lamartine, Byron, Michel-Ange. » À l'interrogation, à la frustration de 1819 répond cette pensée notée en 1824 dans le journal[109]. L'espèce d'impuissance qui s'emparait du jeune Delacroix

103. *Ibid.*, p. 89. Cette remarque lui vient en effet à un moment, où, comme dans la lettre précédente, il conseille à son ami de se remettre à l'étude de l'italien, étude dont le but semble être la lecture de Dante.

104. À Félix Guillemardet, le 23 septembre 1819 (Delacroix, 1954, p. 78).

105. À Félix Guillemardet, le 2 novembre 1819 (*ibid.*, p. 108).

106. Risset, 1982, p. 222.

107. Delacroix, 1996 (24 décembre 1853).

108. Larue (1989, p. 23-40) a admirablement montré tout ce que l'inspiration de Delacroix devait à ses lectures de Byron.

109. Delacroix, 1996 (11 avril 1824).

face aux émotions qu'il pouvait éprouver à la lecture d'une œuvre aussi forte que *la Divine Comédie* trouva, cinq ans plus tard, sa solution. L'artiste ne restera plus avec, entre les mains, une « page muette d'un vil papier » ; il prendra le pinceau. L'inspiration trouve son origine dans la lecture. Et Dante figurait en tête des auteurs les plus capables d'échauffer l'imagination. Entre 1819 et 1824, cependant, les termes du débat furent inversés. Désormais, c'était le désir de peindre, dans ce que cette action pouvait avoir de plus matériel, voire de plus sensuel, qui motivait l'ouverture du livre et non plus la peinture ou le dessin qui permettait de le fermer sans frustration. La vocation du peintre s'était affirmée. Entre les deux, il y avait eu l'expérience fondatrice de *Dante et Virgile aux Enfers*.

« J'ai repris ce soir mon Dante » : de la traduction à la représentation

« Dante et Virgile, conduits par Plégyas [*sic*], traversent le lac qui entoure les murailles de la ville infernale de Dité. Des coupables s'attachent à la Barque ou s'efforcent d'y entrer. Dante reconnaît parmi eux des Florentins. » Voilà la manière dont le livret du Salon de 1822 décrit le tableau qui fit connaître Delacroix. Le chant VIII de *l'Enfer* est consacré au cinquième cercle. Dante et son guide, embarqués sur l'esquif de Phlégyas, font route vers Dité, la ville infernale, qui brûle à l'horizon. Parmi les eaux fangeuses du Styx, où se débattent les coléreux, le poète florentin est interpellé par l'un de ses ennemis de naguère, Filippo Argenti. Dante le repousse et souhaite « le voir plonger dans le bouillon », quand il entend les damnés crier « sus à Filippo Argenti ». Argenti commence alors à se dévorer lui-même. Delacroix n'a pas puisé dans le répertoire traditionnel des épisodes de *la Divine Comédie* à l'usage des peintres : Paolo et Francesca, Ugolin, la barque de Charon... Le sujet est inédit et l'intérêt porté à un épisode mal connu manifeste un désir de fidélité au texte. L'artiste chercha longtemps une scène qui, à la fois, satisfît son désir d'originalité et exprimât, dans toute sa richesse émotionnelle, sa perception de *la Divine Comédie*. Quelques dessins nous renseignent sur cette quête. La question de leur chronologie demeure problématique. Sont-ils tous directement liés à la préparation de *Dante et Virgile aux Enfers*, donc postérieurs à l'été 1821, que ce soit dans la phase active de recherche d'un sujet ou dans celle de l'élaboration de la toile elle-même ? Ou, certains d'entre eux, comme l'avance Lee Johnson pour une page de l'album RF 23356, doivent-ils être datés de la fin de 1819, au moment où Delacroix traduisait des passages de *la Divine Comédie* ? Aucun élément certain ne permet de répondre de façon définitive : les papiers, médiocres, sont assez semblables et les techniques trop diverses, les archives muettes, les carnets, souvent laissés puis repris – des pages demeurées vides sont alors utilisées – ne peuvent pas être lus de façon linéaire. Au moins peut-on constater, entre 1819 et 1822, une très grande concentration des dessins inspirés par *l'Enfer*, parallèlement aux essais de traduction du peintre *(fig. 29)*. Aucune autre œuvre littéraire cependant n'est à ce point présente dans les carnets, qui contiennent surtout des copies d'après les maîtres, les

Fig. 29 **[cat. 21]**
Eugène Delacroix, *Dante et Virgile devant un damné*.
Paris, musée du Louvre, département des Arts graphiques, RF 9165

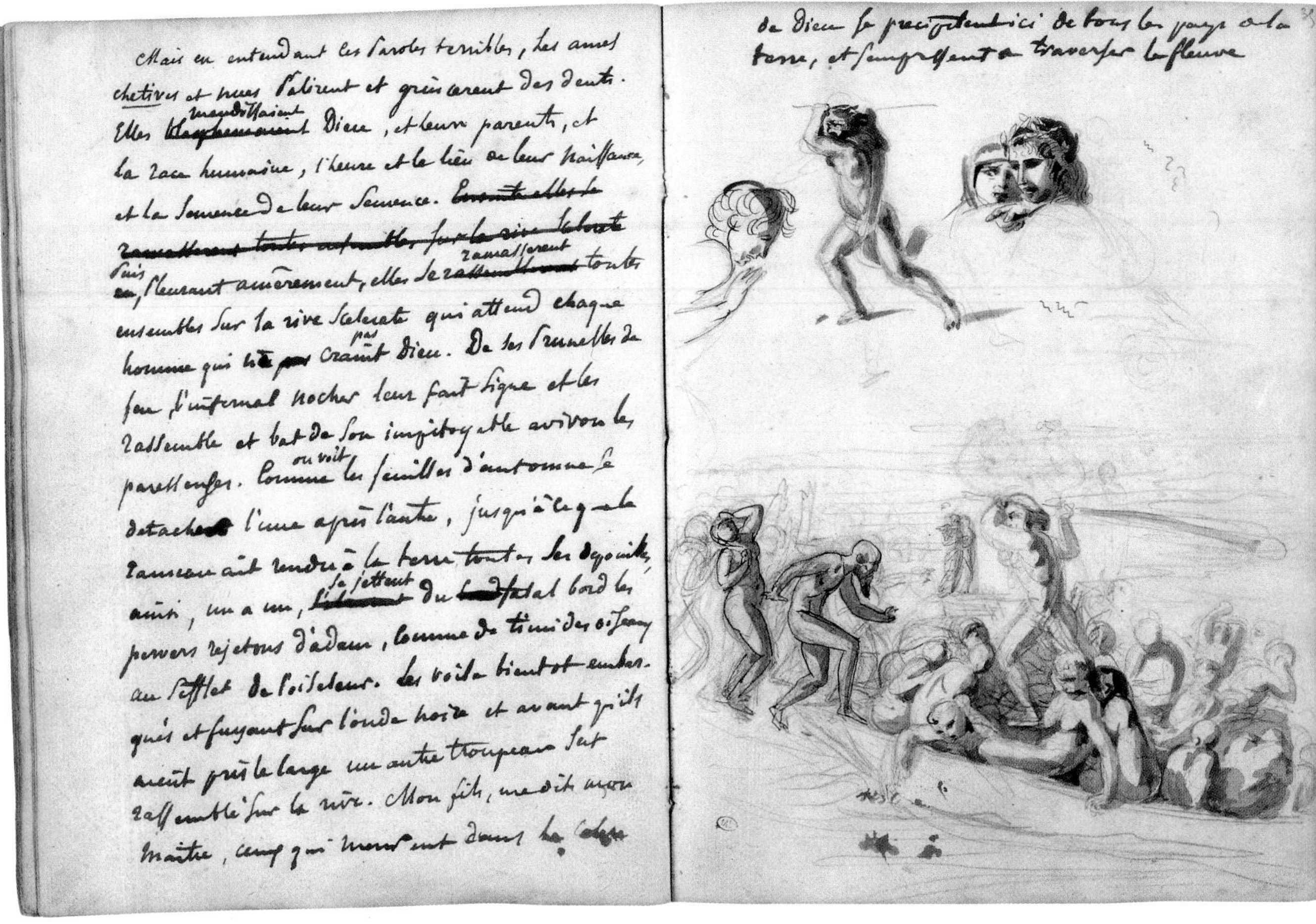
Mais en entendant ces paroles terribles, les ames
chetives et nues palirent et grincerent des dents.
Elles maudissaient Dieu, et leurs parents, et
la race humaine, l'heure et le lieu de leur naissance
et la semence de leur semence.
Puis en pleurant amerement, elles se ramasserent toutes
ensemble sur la rive scelerate qui attend chaque
homme qui ne craint pas Dieu. De ses prunelles de
feu l'infernal nocher leur fait signe et les
rassemble et bat de son impitoyable aviron les
paresseux. Comme on voit les feuilles d'automne se
detacher l'une apres l'autre, jusqu'à ce que le
rameau ait rendu à la terre ses depouilles,
ainsi, un a un, se jettent du fatal bord les
pauvres rejetons d'adam, comme des timides oiseaux
au sifflet de l'oiseleur. Les voilà bientot embarqués et fuyant sur l'onde noire et avant qu'ils
aient pris le large un autre troupeau s'est
rassemblé sur la rive. Mon fils, me dit mon
maitre, ceux qui meurent dans la colere
de Dieu se precipitent ici de tous les pays de la
terre, et s'empressent a traverser le fleuve

Fig. 30 **[cat. 4]**
Eugène Delacroix, *Album*, f° 34 v° : traduction du chant III de *l'Enfer*, et 35 r° : traduction et dessin, *la Barque de Charon*.
Paris, musée du Louvre, département des Arts graphiques, RF 23356

gravures ou les antiques, des études anatomiques, des portraits ou des caricatures et des esquisses préparatoires pour des œuvres précises, la *Vierge du Sacré-Cœur* ou la salle à manger de Talma. On serait donc enclin à penser que beaucoup de ces dessins constituent des efforts afin de trouver un sujet dantesque pour le Salon de 1822; la question, pour importante qu'elle soit dans une perspective historique, n'est pas déterminante dans notre problématique. Toutes ces œuvres en effet sont dotées de caractères communs, qui dénotent une lecture personnelle de *la Divine Comédie*. Toutes évacuent l'élément pittoresque et univoquement narratif au profit de la recherche de l'expression.

Dans l'album RF 23356 *(fig. 30)*, Delacroix s'essaie à la traduction du chant III de *l'Enfer* et cette traduction donne naissance, sur la page d'à côté, à une illustration. Charon debout sur sa barque s'apprête à battre avec sa rame les âmes qui tardent à s'embarquer. À l'arrière-plan, sur la rive infernale, Dante et Virgile sont côte à côte. Ce dessin est une réminiscence de la barque de Charon du *Jugement dernier* de Michel-Ange à la chapelle Sixtine *(fig. 31)*. Le peintre, ne s'étant jamais rendu en Italie, ne pouvait connaître la fresque que par la gravure. On retrouve donc les deux sources auxquelles, en 1824, il déclarera puiser pour réveiller son imagination : les livres et la gravure. L'association entre Dante et Michel-Ange

Fig. 31
Michel-Ange, *le Jugement dernier* (détail de la barque de Charon).
Rome, musée du Vatican, chapelle Sixtine

semble se faire naturellement, d'autant plus que le damné à gauche est directement inspiré de l'un des *Esclaves* du Louvre. Tous deux étaient alors considérés comme les fondateurs de l'esprit moderne, selon la définition de Delécluze[110]. En effet, les deux Florentins placèrent au centre de leur création l'homme, mais un homme auquel ils refusèrent le statut de dieu ou de héros; ils le représentèrent souvent précaire, isolé, «également éloigné du néant qu'il redoute et de l'infini vers lequel il cherche toujours à s'élancer[111]». Génies défiant les règles, ils firent preuve d'une démesure et d'une originalité, qui ne pouvaient, en aucun cas, servir de modèles. Ils portèrent l'expression, qu'elle soit corporelle ou psychologique, jusqu'à l'excès. De plus, *le Jugement dernier* était réputé avoir été peint sous l'influence de *la Divine Comédie*. La preuve en était ce mélange, contraire à la raison, de références antiques, païennes, voire mythologiques, et d'éléments contemporains ou chrétiens; on rendait alors Dante responsable de la présence incongrue, au cœur du Vatican, de la figure de Charon. Aussi l'image qui jaillit sous la plume de Delacroix, à la lecture du chant III, relevait-elle, au début des années 1820, du lieu commun. Aucun des artistes, qui s'attachèrent à l'épisode, ne réussit à éviter cette référence. Seul, Girodet proposa, avec un dessin aujourd'hui conservé au musée de Pontoise *(fig. 32)*, une interprétation différente, que Delacroix ne connaissait vraisemblablement pas. Pour le jeune homme, bien décidé à se faire un nom, l'exemple de son aîné, par ailleurs auteur d'un *Paolo et Francesca,* devait pourtant constituer un modèle. René Huyghe[112] a montré qu'il recopia des extraits du discours de Girodet sur l'originalité, discours qui associait déjà, de façon positive, Michel-Ange à Dante. Ces deux pages de l'album du Louvre mettent bien en évidence les écueils qu'aurait pu rencontrer Delacroix, s'il avait considéré le poème dantesque seulement comme une mine de sujets. Le recours à la littérature aurait pu le faire tomber dans l'illustration, avec ce que ce terme peut recouvrir de réducteur. Beaucoup de ses confrères, à la recherche de sujets nouveaux, firent un temps sensation au Salon, en se plongeant dans le répertoire iconographique que pouvaient constituer les romans à la mode. Ils finirent par produire des vignettes à une échelle monumentale, dont l'intérêt risquait de diminuer avec l'oubli dans lequel ne manqueraient pas de tomber certaines de leurs sources. Devéria ou Boulanger par

Fig. 32
Anne Louis Girodet-Trioson, *la Barque de Charon.*
Pontoise, musée Tavet-Delacour

110. Voir le chapitre II, «Delacroix, Dante et la peinture littéraire», du présent essai.
111. E. J. Delécluze, *le Moniteur universel*, 3 mai 1822.
112. Huyghe, 1964.

Fig. 33
Eugène Delacroix, *Album*, f° 18 v°-19 r°, chant III de *l'Enfer* : *Dante effrayé par les bêtes infernales*.
Paris, musée du Louvre, département des Arts graphiques, RF 23356

exemple, souvent merveilleux illustrateurs, furent les hommes d'un seul tableau. En 1823, Delacroix s'exprimait clairement à ce sujet : « J'ai senti en moi se réveiller la passion des grandes choses. [...] J'ai repris ce soir mon *Dante*. Je ne suis pas né décidément pour faire des tableaux à la mode[113]. » D'autre part, avec le recours systématique à la gravure comme déclencheur de l'inspiration, et pas seulement comme répertoire de motifs, il courait le risque de manquer d'originalité. Il n'est pas improbable que ce dessin, comme le suggère Lee Johnson, soit antérieur à la recherche d'un sujet pour le Salon de 1822 et corresponde plutôt au moment où Delacroix traduisait Dante. Quoi qu'il en soit, l'artiste ne semble pas avoir creusé au-delà la capacité de la barque de Charon à être transposée en peinture. La réminiscence michelangelesque était trop forte. Mieux valait s'inspirer d'un épisode moins connu, donc plus chargé d'échos personnels.

Dans ce même album sur une page précédente, Delacroix tenta d'illustrer le premier chant de *l'Enfer*. Dante, effrayé par les bêtes infernales, le lion, la panthère et la louve, s'enfuit et rencontre Virgile *(fig. 33)*. Au milieu de la feuille de droite, d'un crayon alerte et discret, il représente l'épisode : la louve surgit à gauche, le poète s'enfuit vers la droite et tombe sur la figure drapée du père de *l'Énéide*. La composition, animée et sobre, est un peu convenue. En revanche, la mise en page se révèle particulièrement intéressante et préfigure, dans une certaine mesure, les illustrations du *Faust* de Goethe[114]. Les marges supérieures et inférieures, ainsi que le feuillet de gauche (qui constitue une sorte de grande marge) sont occupées par des dessins isolés précisant les éléments de la scène. Bien plus, le rapport de hiérarchie entre l'image et les *marginalia* s'est inversé : la scène principale, la narration, parfaitement circonscrite comme une illustration, est traitée, au crayon, de façon relativement estompée et est comme écrasée par l'insistance des éléments qui l'entourent. Ce sont eux qui confèrent à ces deux pages leur cohérence dramatique. Ils ne sont pas destinés à préciser tel ou tel détail du décor ou des costumes, mais à rendre compte des émotions des protagonistes : terreur de

113. Delacroix, 1996 (30 décembre 1823).

114. Sur les illustrations du *Faust*, voir Stuffmann, 1988; Stuffmann, 2001; Bonnefoy et Sérullaz, 1993.

Fig. 34
Raphaël, *Saint Michel.*
Bois, H. 0,295; L. 0,255 m.
Paris, musée du Louvre, département des Peintures, RF 608

Fig. 35
Raphaël, *Saint Georges.*
Bois, H. 0,295; L. 0,255 m.
Paris, musée du Louvre, département des Peintures, RF 609

Dante, caractère effrayant de la louve, la gueule ouverte et prête à bondir. De façon en partie involontaire, mais signifiante pour le spectateur moderne, ces deux feuilles sont géométriquement construites; les *marginalia* se répondent selon un mode de lecture cohérent qui correspond à la manière de travailler de Delacroix. L'expression de terreur du poète, et son mouvement, trouve son origine dans une interprétation du *Saint Michel* de Raphaël *(fig. 34)*. Sur la page de gauche, l'artiste a représenté la tête de l'archange, associée à un mouvement du bras qui doit plus au *Saint Georges* du même Raphaël *(fig. 35)* ; en parallèle, sur le feuillet droit, modifiant un peu maladroitement le bras, il transforma le personnage en Dante. Le glissement de la source à la création originale apparaît clairement. De même, une grande diagonale de l'effroi traverse les deux feuilles. En haut à gauche, le peintre a dessiné à l'encre une tête d'homme, la bouche ouverte criant d'horreur et dont l'expression quasi animale n'est pas sans rappeler celle de la louve juste au-dessous, alors que, de toute évidence, il a servi à rendre la peur de Dante, illustrée au bas de la page en regard. Si Delacroix décompose son image, il en condense tous les éléments sur une même feuille; au lieu de les individualiser, il les met, visuellement, en relation. Aussi les connections entre ces éléments, ici essentiellement d'ordre émotionnel, finissent-elles par s'effectuer de façon presque naturelle, indépendamment de tout discours linéaire. La narration éclate. On comprend alors mieux cette impression de polyphonie qui émane des œuvres de jeunesse de l'artiste, particulièrement de *Dante et Virgile* et de *Sardanapale*. Bien plus, dans ce cas extrême, l'image, c'est-à-dire l'histoire proprement dite, finit par s'estomper au profit des *marginalia*, qui portent le sens. Le sujet ne disparaît pas, il est simplement interprété par l'artiste-lecteur et l'appréhension personnelle du texte prime sur la narration. Le poème n'est donc pas illustré, mais

Fig. 36
Joseph Anton Koch, *Dante effrayé par les bêtes infernales* (chant I de *l'Enfer*), étude pour le casino Massimo. 1824-1825.
Plume sur crayon, H. 0,32; L. 0,40 m.
Berlin, Preussischer Kulturbesitz, Staatliche Museen, Kupferstichkabinett

Fig. 37 [cat. 18]
Eugène Delacroix, *Dante parmi les ruffians et les séducteurs* (étude pour le chant XVIII de *l'Enfer*).
Vienne, Graphische Sammlung Albertina

Fig. 38
Eugène Delacroix, *Tête d'Actéon*
Huile sur toile, H. 0,25; L. 0,21 m.
Musée de Melun

Fig. 39
Eugène Delacroix, *Album*, f° 13 v° : *Études pour la tête d'Actéon*.
Paris, musée du Louvre, département des Arts graphiques, RF 9141

Fig. 40 [cat. 27]
Eugène Delacroix, *Têtes de Dante et Virgile*.
Paris, musée du Louvre, département des Arts graphiques, RF 9193

transposé. Du chant I, le peintre, sans doute encore tributaire de la vision d'une *Divine Comédie* comme roman noir, ne retient que l'expérience humaine du poète : sa peur et le contraste avec la figure étonnamment stoïque de Virgile. On mesure alors ce qui sépare l'interprétation émotive de Delacroix de celle, philosophique, de Joseph Anton Koch, dans les fresques du casino Massimo à Rome (étude préparatoire *fig. 36*), de deux ans postérieure. L'artiste allemand représente avec précision les trois animaux, qui symbolisent chacun un péché (la luxure, l'orgueil, la convoitise), évacuant la tension dramatique au profit d'une signification symbolique, que met en évidence la rhétorique des gestes. Dans le petit croquis de Delacroix, qui n'a évidemment pas le même statut que l'imposant cycle nazaréen, Dante bute littéralement sur le poète latin. Renfermé en lui-même, enveloppé dans sa toge, Virgile est là, sans explication, incompréhensible. Le peintre traduit l'étonnement de Dante et le caractère étrange de cette figure « qu'un long silence avait tout affaiblie ». Sa lecture véhémente, quelque peu romanesque, est teintée de mystère. Chez Koch, le dialogue est instauré : Virgile est déjà le guide de Dante. D'un mouvement de la main gauche, il l'invite à le suivre.

On retrouve un procédé de composition assez semblable à celui de ces deux feuilles dans un lavis d'encre, autrefois dans la collection de Degas et conservé aujourd'hui à l'Albertina de Vienne, illustrant le chant XVIII, *Dante parmi les ruffians et les séducteurs (fig. 37)*. Un damné nu y est fouetté par un diable, tandis qu'un autre s'enfuit; le poète assiste à la scène. La composition est très naturellement équilibrée : la fuite du personnage sur la gauche est contrebalancée par la grande extension du corps du démon s'apprêtant à infliger la punition au séducteur central. L'idée de mouvement, indépendamment des gestes, est rendue par le cadrage qui déporte les figures, sur la gauche, dans le sens de la fuite et qui permet au bras vengeur du diable de se déployer avec ampleur. La punition prend toute sa violence, mais elle est quelque peu contredite par le personnage central dans une pose, inspirée de l'*Ève* de Michel-Ange à la chapelle Sixtine, mais peut-être trop peu dynamique. Le caractère sombre de la scène est habilement rendu par le lavis irrégulier qui donne au fond des noirceurs infernales. Comme dans le tableau du Salon de 1822, les vibrations obscures de ce fond suffisent non seulement à qualifier, mais aussi à définir le lieu. Cet essai dut rendre évident, aux yeux de Delacroix, les insuffisances visuelles du sujet traité à grande échelle ; refusant les mouvements de foule qui agitent le texte, le peintre se concentre alors sur l'intensité de l'expression. Dante, qui n'est que spectateur, s'intègre mal à la scène.

L'importance du lavis de Vienne ne se limite pas à cette recherche du sujet. Sur la même feuille et sans solution de continuité, Delacroix reprend, en le grossissant considérablement, le visage, vu de profil, du démon, de façon à en travailler le caractère terrible. La bouche ouverte, le sourcil froncé, les rides frontales accentuées, cette étude d'expression doit être rapprochée, pour son intensité dramatique et ses principaux traits, d'une tête d'Actéon, vue de face, peinte, vers 1817-1818 *(fig. 38)*, et d'une étude au crayon dessinée dans un carnet du Louvre[115] *(fig. 39)*. Lee Johnson a montré, à juste titre, ce que l'*Actéon* devait aux illustrations pour *la Méthode pour apprendre à dessiner les passions* de Le Brun ; il dérive à la fois de la « haine » et de la « frayeur ». Dans le *Dante parmi les séducteurs* de l'Albertina, le caractère haineux a été accentué. Si l'on rapproche maintenant cette œuvre d'une

115. RF 9141, f° 13 v°.

Fig. 41 **[cat. 19]**
Eugène Delacroix, *Études avec deux personnages (Dante et Virgile), académie féminine.*
Vienne, Graphische Sammlung Albertina

Fig. 42 **[cat. 20]**
Eugène Delacroix, *Têtes sortant de l'eau* (étude pour le chant XXXII de *l'Enfer*).
Paris, musée du Louvre, département des Arts graphiques, RF 9194

magnifique étude au fusain pour les têtes de Dante et de Virgile[116] *(fig. 40)*, la ressemblance entre le visage du diable et celui du poète florentin est frappante. Le nez a été rendu moins aquilin, les commissures des lèvres sont orientées vers le bas, mais la position est la même, l'expression très semblable, les yeux sont presque identiques et le modelé est bien proche. Or, Dante, dans la barque de Phlégyas, est justement traversé de frayeur, au milieu de ce monde infernal, et de haine à l'égard de Filippo Argenti. Dans le tableau du Salon de 1822, l'artiste fera légèrement pivoter la tête de trois quarts et adoucira l'ensemble des traits, de façon à tempérer ce que l'expressionnisme de ces premiers essais pouvait avoir d'exagéré. Avec le dessin de l'Albertina, Delacroix cherchait à illustrer une scène de *la Divine Comédie* et il trouva un sujet, aux deux sens du terme : Dante et l'expression de ses émotions.

D'autres épisodes semblent avoir tenté l'artiste, avant qu'il n'arrête définitivement son choix sur le début du chant VIII. Sur une feuille, elle aussi conservée à l'Albertina, le peintre a rapidement dessiné Dante et Virgile enlacés *(fig. 41)*, dans une posture qui n'est pas sans évoquer celle du carnet de la Bibliothèque nationale *(fig. 28)*. Au-dessus, l'artiste a sommairement esquissé une figure féminine dans une position assez proche, sauf pour la tête,

116. Louvre, département des Arts graphiques, RF 9193.

de celle d'une académie identifiée par Lee Johnson avec le fameux modèle, mademoiselle Rose[117], et datée vers 1820-1821. Plus bas, on retrouve Dante se penchant en direction d'un personnage, dont seule la tête émerge de l'eau. Il faut probablement y voir une illustration du chant XXXII de *l'Enfer*, celui où les traîtres sont pris dans un lac de glace. Ce passage, l'un des plus beaux et des plus impressionnants de *la Divine Comédie*, ne pouvait laisser insensible un lecteur aussi passionné que Delacroix. Un autre dessin semble devoir se rattacher à cet épisode. En 1963, Maurice Sérullaz publiait, dans le *Mémorial Eugène Delacroix*, une extraordinaire feuille représentant des têtes de moribonds émergeant de l'eau *(fig. 42)*. Il pensait y déceler des esquisses pour les damnés de *Dante et Virgile*; dans son imposant catalogue des dessins de Delacroix au Louvre, il se contentait d'y voir « des études préliminaires à la composition » du tableau, sans plus de précisions. En réalité, ce dessin s'inscrit dans la phase de recherche du sujet. Les pieds de personnages marchant au milieu des têtes dans le fond, le fait que la figure de dos, au centre, prenne appui sur l'eau signalent le lac de glace. D'autre part, une attention toute particulière est accordée aux cheveux; or, dans le texte de Dante, certains damnés sont « si serrés que leurs cheveux étaient entremêlés » et le poète arrache les cheveux de Bocca degli

Fig. 43
Joseph Anton Koch, *Dante et Virgile arrivant à Dité*, 1800-1802.
Plume sur crayon, H. 0,27; L. 0,35 m.
Berlin, Preussischer Kulturbesitz, Staatliche Museen, Kupferstichkabinett

Abbati, qui pleure, comme la figure représentée à l'extrême gauche. Là encore, Delacroix évacue l'évidence de la narration brute : des personnages principaux, pourtant bien présents, on ne voit que les pieds. Se concentrant sur les passions, il rejette l'illustration pure au profit de l'expression : ces visages chétifs, aux yeux caves, à la bouche ouverte dans le dernier râle avant la mort ne sont pas sans évoquer les cadavres peints par Géricault, que Delacroix connaissait bien. L'émotion suscitée par la lecture du texte trouve à se réaliser dans les formes mêmes du langage plastique. De plus, l'épisode des traîtres, qui précède l'histoire d'Ugolin, rappelle par certains côtés celui de Filippo Argenti. Dans l'histoire d'Argenti comme dans celle de Bocca, Dante repousse, d'une façon qui peut paraître aujourd'hui peu charitable, ses ennemis de naguère. Tout se passe comme si Delacroix, après avoir trouvé son sujet (les émotions de Dante), cherchait le cadre dans lequel l'exprimer : l'expression prime sur la narration.

Visiblement, Delacroix chercha une scène où Dante ne soit pas présenté comme un simple spectateur. Dans *l'Enfer*, en effet, même si le poète se contente parfois de regarder, les résonances intérieures des supplices sont au moins aussi importantes que les supplices eux-mêmes. Depuis le dessin évoquant le chant I, l'artiste insistait sur la dimension profondément humaine du poème : tous les événements, les supplices, les rencontres de *la Divine Comédie* sont appréhendés à travers le prisme des états d'âme du « narrateur ». Delacroix, lecteur moderne, contemporain de l'essor du roman d'introspection, est particulièrement attaché à l'analyse psychologique. Voilà probablement pourquoi il renonça très vite aux mouvements de foule, alors même que le chant XVIII, consacré aux traîtres, l'y incitait. Les illustrations de Koch pour *l'Enfer*, animées d'un réel souffle épique, jouent, au contraire, à la suite de Michel-Ange, sur les accumulations grandioses de corps nus *(fig. 43)*. Avec Delacroix, l'épopée cède le pas au roman, dans son acception psychologique. Notons que dans ses illustrations du *Faust*, il agira de même, renonçant aux scènes les plus spectaculaires, parfois aux épisodes les plus célèbres, pour se concentrer sur les personnages principaux, essentiellement le couple constitué par Faust et Méphisophélès, sorte de version, en négatif, de Dante et de Virgile.

117. Johnson, 1981-1993, vol. I, p. 4, n° 4.

« Dante et Virgile conduits par Phlégyas » : le choix du chant VIII de l'Enfer

Finalement, Delacroix estima que le chant VIII répondait le mieux à ses aspirations de lecteur et de peintre. Très peu connu, il ne pouvait susciter de réminiscences trop marquées, si ce n'est dans des analogies typologiques avec la barque de Charon. Quelques critiques, d'ailleurs, confondirent les deux épisodes. Même Adolphe Thiers, pourtant premier grand admirateur du tableau, commit l'erreur : « le Dante et Virgile conduits par Charon traversent le fleuve infernal », écrivit-il dans *le Constitutionnel*, et il continua « les malheureux, condamnés à désirer éternellement la rive opposée, s'attachent à la barque ». Or, l'esquif se dirige vers la ville infernale de Dité, non vers le rivage du Styx. Voilà bien la preuve que la méconnaissance ou la perte du code littéraire n'invalide pas le pouvoir évocateur de l'image.

Quand l'artiste songea-t-il, pour la première fois, à cet épisode ? La question est loin d'être claire. Un indice pourrait être fourni par un grand dessin conservé au musée des Beaux-Arts d'Ottawa *(fig. 44)*. Assez proche dans sa composition du *Dante et Virgile aux Enfers*, il est d'une facture maladroite et si lourdement descriptif que de nombreux historiens de l'art en rejettent l'attribution. Lee Johnson cependant pense qu'il pourrait s'agir d'une première tentative pour illustrer le chant VIII. À son neveu, qui demandait quel était le sujet de son tableau pour le prochain Salon, Delacroix fit répondre par sa sœur, Mme de Verninac : « Le sujet de mon tableau qu'il me demande est

Fig. 44
Attribué à Eugène Delacroix, *Dante et Virgile aux Enfers*.
Mine de plomb, encre brune et lavis brun, H. 0,310 ; L. 0,397 m.
Ottawa, National Gallery of Canada

tiré du Dante. C'est celui dont je fis le dessin pendant ma fièvre à la forêt[118]. » Or, cette fièvre eut lieu à l'automne de 1820. Le dessin, qui est inversé par rapport au tableau de 1822, aurait pu être exécuté à ce moment-là et l'idée reprise un an et demi plus tard. La qualité relativement faible ne constitue pas un obstacle rédhibitoire à l'attribution, tant les progrès accomplis en trois ans par Delacroix furent fulgurants. D'autre part, dans un carnet aujourd'hui conservé au Louvre[119] *(fig. 50 et 51)*, l'artiste dessina, à deux reprises, *Dante et Virgile* dans une position identique à celle du dessin d'Ottawa, sur lequel on retrouve, de plus, la figure si caractéristique du personnage mordant la barque *(fig. 45)*. Il n'est donc pas improbable que le chant VIII ait frappé assez tôt l'imagination du peintre. L'inspiration romantique n'apparaît alors plus comme cette disposition fugitive et presque naturelle, que toute une littérature a exaltée, mais bien, dans le cas de Delacroix, comme le résultat d'un travail acharné autour des images que la lecture de *la Divine Comédie* suscitait en lui.

Pour beaucoup d'artistes, la fiction n'est qu'un support à la peinture, peu importe la qualité de l'écriture. Pour Delacroix, au contraire, nous l'avons vu, la littérature n'est pas réductible à la narration. Comme l'a écrit très justement Anne Larue : « Quelque chose résiste en lui à l'utilisation pure et simple de l'anecdote : il cherche dans la trace écrite un écho oublié[120]. » Dans ces années de jeunesse, quelque chose de l'ordre de la réminiscence est à l'œuvre; elle suscite une transcription, au sens où pouvait l'entendre Liszt. Alors que l'illustration rend essentiellement compte, de façon plus ou moins directe, de la narration, la transcription, supposant la transposition d'une forme dans une autre, souligne au contraire le matériau (littéraire, musical...) dans lequel cette narration s'exprime. L'illustration serait plutôt du côté de la description, la transcription de celui de l'interprétation, voire de la réécriture personnelle. On comprend alors mieux l'intérêt du jeune Delacroix pour la poésie en général (Dante, Byron, Michel-Ange[121], Lamartine) et pour *la Divine Comédie* en particulier. Dans cette œuvre, Dante entendait « frapper et déchirer la mémoire du lecteur[122] »; il ne pouvait donc la surcharger de détails. À la description, il privilégia lui-même l'évocation, dont la langue poétique est le vecteur principal. L'imagination du lecteur est alors contrainte de recréer « visuellement » ce que la langue ne fait que lui suggérer. C'est exactement ce que soulignait Delacroix lorsque, dans l'épisode d'Ugolin, il remarquait que le style se traîne, « comme pour vous faire passer avec Ugolin ces six mortelles journées », exactement ce qu'il cherchait à rendre par la traduction et qu'il réussira avec *Dante et Virgile aux Enfers*. La comparaison entre le dessin d'Ottawa, qu'il soit de lui ou non, et le tableau pour le Salon de 1822 témoigne parfaitement de cette manière de concevoir l'inspiration littéraire.

Le dessin, dans sa maladresse même, semble plus prosaïquement fidèle à la lettre du texte de Dante. Virgile et le poète, conduits par Phlégyas, viennent de quitter la rive du fleuve, lorsqu'un damné, probablement Filippo Argenti, s'accroche à la barque et tend son bras en direction des protagonistes principaux, qui le repoussent. Dante, effrayé, se réfugie auprès de Virgile. L'image est cohérente. Le geste brutal du damné, inspiré d'un des malheureux du *Radeau de la Méduse*, suscite l'effroi du Florentin; il se recule; Virgile le réconforte en lui prenant le bras et d'un mouvement véhément de la main droite semble dire au coupable : « Va-t'en d'ici avec les autres chiens ! » La narration, étalée dans toute sa plénitude, mais aussi sa platitude, réduit la violence du texte de Dante à une anecdote un peu banale, si elle ne se déroulait aux Enfers. L'illustration naïvement fidèle à la lettre du texte et qui en évacue toute la dimension verbale et poétique prive visuellement la représentation de sens. Les quelques vers du chant VIII ainsi traités perdent tout intérêt à être transposés en peinture. Sans le poème de Dante en regard, on ne comprend guère la signification de cette image, qui ne semble véhiculer aucune « idée » ou valeur propre à en faire une peinture d'histoire.

Dans la toile pour le Salon de 1822, Delacroix ne chercha pas à rendre la narration brute (ce qui serait inepte dans un cadre poétique), mais bien à en exprimer, avec les moyens de la peinture, l'effet proprement littéraire, qui confère tout son intérêt au chant VIII. La poésie devient un élément intrinsèque du sujet et l'*ut pictura poesis* se trouve profondément renouvelée. L'artiste produit un équivalent du texte, rendant le recours inutile à ce dernier, du moins pour comprendre le tableau. Ce processus de

118. À Mme de Verninac, 11 mars 1822 (Joubin, 1938, V, p. 109).
119. Département des Arts graphiques, RF 9151, f° 41 r° et v°.
120. Larue, 1989, p. 27, n. 36.
121. Lorsque, le 11 avril 1824, Delacroix évoque, dans son *Journal*, Michel-Ange, il le considère dans ce cas précis comme poète.
122. Risset, 1982, p. 12, n. 15.

transcription se situe bien à l'opposé de l'illustration. Le livret en fournit une preuve. La notice qui y était imprimée était généralement donnée par l'artiste. Or, dans ce cas précis, Delacroix aurait pu se contenter, comme beaucoup de ses confrères, de citer les vers de Dante. Il s'y refusa et livra, à la place, une brève description. La première phrase, « Dante et Virgile conduits par Plégias [*sic*] traversent le lac qui entoure les murailles de la ville infernale de Dité », se concentre autour des personnages principaux et fait figure d'argument. Les deux suivantes, composées en plus petit, « des coupables s'attachent à la barque ou s'efforcent d'y entrer. Dante reconnaît parmi eux des Florentins », constituent des interprétations des motifs secondaires. La brutalité avec laquelle ces phrases se succèdent sans coordination, caractéristique de la prose discontinue de l'artiste[123], rend par ailleurs compte de la manière assez abrupte avec laquelle la toile est composée; les différents éléments, les groupes de damnés notamment, sont comme juxtaposés. Si, hormis la coquille qui transforme « Phlégyas » en « Plégias » et le fleuve qui devient très romantiquement un lac, les deux premières propositions ne posent guère de problème, la troisième, en revanche, est plus intéressante. Argenti a disparu et est remplacé par l'expression vague « des Florentins ». Dans *Dante et Virgile aux Enfers*, aucun des damnés ne peut être clairement identifié avec Filippo Argenti. Du personnage, Delacroix ne conserve que l'élément le plus spectaculaire et pittoresque : le moment où « l'esprit florentin colérique se tournait contre soi, à coups de dents ». Le motif aurait été trop atroce et incompréhensible pour le public du Salon, aussi l'artiste s'est-il contenté, avec le coupable mordant la barque, d'en évoquer la violence.

L'un des intérêts du chant VIII réside dans l'échange verbal entre Dante et Argenti; long et complexe, il ne pouvait être rendu avec les moyens de la peinture. Aussi l'artiste a-t-il jugé préférable d'éliminer le personnage secondaire. L'admiration pour Dante s'accompagnait d'une totale liberté par rapport au texte, qui n'était pas celle de son temps par rapport aux chefs-d'œuvre du passé, mais bien la conséquence de son intime compréhension des impératifs de son art. En supprimant Argenti, il évacuait l'histoire dans ce qu'elle pouvait avoir de plus prosaïquement narratif et plat, comme dans le dessin d'Ottawa. Il donnait du même coup une interprétation personnelle et inattendue du passage. À la différence de la définition classique de la peinture d'histoire, la représentation naît ici avant même que le récit ait pu commencer. La peinture évacue la littéralité du texte; le sujet n'est plus la rencontre avec Argenti. Avec l'élimination du damné, justifié par les moyens propres de la peinture, l'intérêt se déplaçe alors naturellement sur Virgile : « Puis il m'entoura le cou de ses bras; baisa mon visage et me dit : "Âme altière, bénie soit celle qui te porta !" » Ce sont bien les rapports des deux poètes que Delacroix plaça au cœur de la représentation. Le titre courant du tableau, *la Barque de Dante*, a le défaut de ne porter l'attention que sur la figure de Dante, mais le centre géométrique de l'œuvre est très précisément occupé par la main du poète latin saisissant celle du poète florentin, dans un geste d'amitié et de soutien. Aussi l'épisode subit-il, sur la toile de Delacroix, une modification radicale de signification. Ce chant qui, sous la plume de l'Alighieri, était consacré à la colère (celles de Phlégyas, d'Argenti, de Dante) donne naissance à un tableau exaltant l'amitié, la sagesse au milieu de la sauvagerie, et la grande chaîne des génies à travers les temps. Or, ce déplacement, qui fait passer au second plan la trame anecdotique, n'est pas le résultat d'une désinvolture du peintre par rapport à sa source; il était suggéré par le texte lui-même. L'étude des croquis de jeunesse liés à *la Divine Comédie* a montré que la lecture de Delacroix s'articulait autour des réactions psychologiques de Dante, qui soulignent l'évolution de son parcours initiatique. Relu dans ce contexte, le chant VIII reçoit un éclairage nouveau. Dans l'économie générale de *l'Enfer*, la rencontre avec Argenti marque une étape dans l'attitude des deux voyageurs. Jusqu'alors, hormis dans le premier chant, Dante s'était contenté d'être spectateur ou « actif par défaut »; au récit des amours malheureuses de Paolo et Francesca, il s'était évanoui. Face à son ancien ennemi, pour la première fois, le poète réagissait violemment. Pour la première fois aussi, Virgile sortait de son antique réserve pour esquisser un geste d'amitié en direction de son compagnon de voyage. Seul un lecteur attentif, profondément imprégné de la poésie dantesque, pouvait, au-delà de la trame anecdotique, percevoir ce lien et charger la représentation d'une dimension abstraite. Delacroix n'a pas considéré *la Divine Comédie* comme un simple répertoire de sujets. Son tableau est la transcription d'une lecture personnelle, ne

123. Voir à ce sujet les remarquables analyses de M. Hannoosh, 1995.

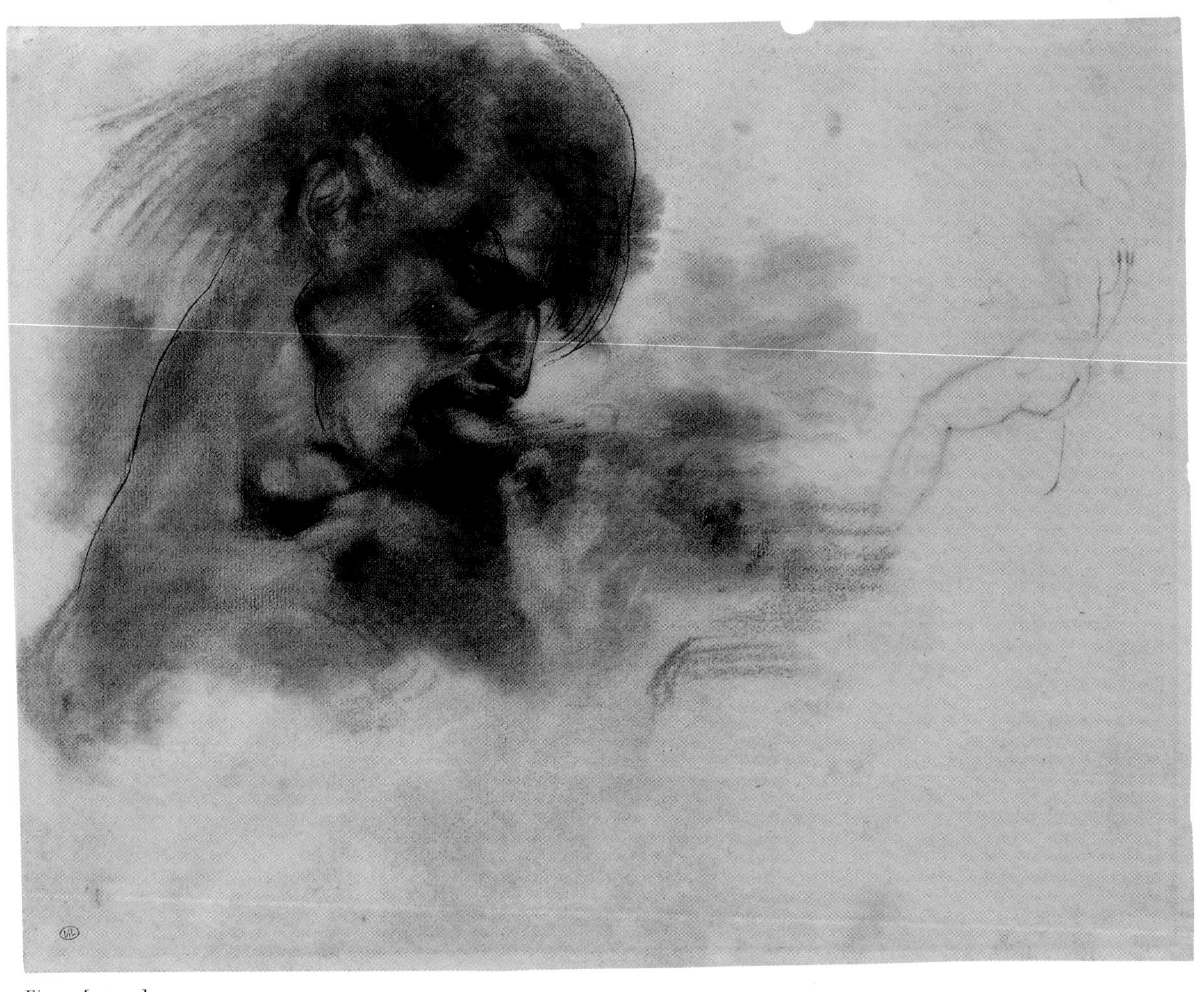

Fig. 45 **[cat. 45]**
Eugène Delacroix, *Homme de profil mordant*.
Paris, musée du Louvre, département des Arts graphiques, RF 6161 (recto)

Fig. 46 [cat. 11]
Eugène Delacroix, *Ugolin dans la tour*.
Copenhague, musée d'Ordrupgaard

Fig. 47
Ch. Steuben, *Guillaume Tell s'élançant de la barque de Gessler*, gravure au trait de Réveil, pour Ch. P. Landon, *Annales du Musée-Salon de 1822*, Paris 1830.

dissociant pas la trame narrative du tissu poétique dans lequel elle s'exprime. Au premier plan, deux damnés s'entre-dévorent; le cou de l'un porte la marque d'une morsure de l'autre. Dans un raccourci saisissant, le peintre anticipe l'épisode d'Ugolin, mais il évite toute citation du moment le plus célèbre et le plus insoutenable : le père mangeant ses propres fils. Il se contente de l'évocation d'Ugolin dévorant le crâne de l'archevêque Ruggeri, tout comme Argenti ne l'était que par le damné mordant la barque. Pour la plupart des spectateurs, peu au fait de la lettre du texte, les deux personnages restent sans nom; ce ne sont que des coupables et leur anonymat ne fait que renforcer l'absurdité et la sauvagerie du geste. De nouveau, Delacroix refusait la narration pour renforcer l'expression. La recomposition du poème, dans un autre médium, obéissait aux lois de l'imaginaire. La peinture littéraire venait d'être fondée.

On mesure alors ce qui sépare *Dante et Virgile aux Enfers* de la plupart des œuvres contemporaines, qui s'inspirèrent de la littérature. Au Salon de 1822, Steuben, par exemple, livrait son interprétation de *Guillaume Tell s'élançant de la barque de Gessler (fig. 47)*. Ce sujet littéraire, qui avait été très à la mode sous la Révolution[124], y était devenu prétexte à un grand spectacle, où la peinture caracole. La narration, saisie au premier degré, étale, avec un brio très extérieur, tous les ingrédients susceptibles d'attirer l'attention d'un public amateur d'émotions fortes, sans trop se préoccuper d'un quelconque message éthique : la tempête, la barque qui verse, le geste impétueux de Tell, l'agitation des protagonistes, le détail des costumes anciens, l'oriflamme flottant au vent... La dimension patriotique ou politique, telle qu'on pouvait la trouver dans *le Serment de Rüttli* de Füssli par exemple[125], s'était même estompée. Delacroix, au contraire, avec *Dante et Virgile aux Enfers*, proposait un traitement très différent, et encore inédit, du matériau littéraire. En prenant des libertés avec sa source, en évacuant la narration brute, en éliminant jusqu'à l'un des protagonistes majeurs de l'épisode, il retrouvait l'aspiration à l'idéal de la peinture d'histoire et pouvait alors *raconter* l'expérience profondément humaine du poète florentin. Le tableau ne cherchait pas à rendre platement compte du texte de Dante, mais de la lecture personnelle qu'en fit l'artiste. Il faut donc se garder de confondre les « artistes creux » – pour reprendre l'expression de Petrus Borel, « qui ont l'air d'attendre, bouche béante, l'édition de quelques nouveautés[126] » à illustrer – du vrai peintre littéraire, pour qui la rencontre avec le texte est l'occasion d'un choc émotif lui permettant de créer[127]. Delacroix ne mélangeait pas les moyens de la peinture avec ceux de la littérature.

Les résonances personnelles de sa lecture de *la Divine Comédie* furent si intenses que les échos s'en firent sentir jusqu'à la fin de sa vie. Les goûts littéraires de Delacroix sont quelquefois difficiles à saisir et beaucoup de ses enthousiasmes juvéniles passèrent. Byron, qui, dans sa jeunesse, comme l'a bien montré Anne Larue[128], échauffa son imagination jusqu'à le pousser à la démesure de *Sardanapale*, tomba ensuite dans son estime. L'artiste continua à peindre des tableaux inspirés par ses écrits, mais il s'agissait souvent de reprises de compositions explorées à ses débuts[129]. L'œuvre du poète anglais devenait réservoir

124. Régis Michel a parfaitement analysé les implications politiques du mythe de Guillaume Tell sous la Révolution : « Guillaume Tell : un mythe jacobin ? » (Bordes et Michel, 1988, p. 56-58).
125. Rosenblum, 1989, p. 62.
126. P. Borel, « Des artistes penseurs et des artistes creux », *l'Artiste*, 1833, p. 253-259.
127. Aucun autre peintre contemporain n'aura porté à ce degré de conscience l'inspiration littéraire. Peut-être faut-il même considérer Delacroix comme le seul peintre littéraire à proprement parler. La singularité fait d'ailleurs partie de la définition, floue par la force des choses, de l'artiste romantique. En revanche, Berlioz, dans ses œuvres les plus abouties, pourrait lui être comparé.
128. Larue, 1989.

de sujets. Seul Dante, éternel et immuable, demeurait. En 1860, trois ans avant sa mort, Delacroix peignait encore, pour le marchand Estienne, un *Ugolin (fig. 46)*. La composition sur deux registres, le corps dénudé d'un des fils pathétiquement offert au premier plan, un autre pliant le bras presque prêt à se dévorer le poing comme le damné mordant la barque rappellent discrètement la toile de 1822. Les yeux du père, qui a les mains crispées pour éviter la tentation du cannibalisme infanticide, brillent encore d'un éclat ensanglanté, comme un autre des damnés de *Dante et Virgile aux Enfers*. Dans ces mêmes années, le vieil homme s'inquiétait de l'état du tableau qui le fit connaître; il n'est pas impossible que ce souci ait ranimé en lui la flamme dantesque. La toile d'Ordrupgaard pourrait alors être lue comme un regard nostalgique porté sur sa jeunesse; il y retrouvait l'inspiration littéraire, l'atmosphère sombre d'un cachot évoquant *le Prisonnier de Chillon*, l'utilisation dramatique du rouge. En même temps, Delacroix rendait un hommage à David, dont l'ombre planait, à travers la référence à Gros, au-dessus de *Dante et Virgile aux Enfers* : ce père, prostré pour résister à l'accomplissement de l'atroce destinée, est comme le frère pitoyable du *Brutus (fig. 48)*. Les corps de ses fils exposés en pleine lumière, la femme enveloppée dans son manteau à l'extrême gauche et même la grande colonne qui barre l'espace en son milieu évoquent irrésistiblement la célèbre toile de David.

Bien plus, la lecture de *la Divine Comédie* ébranla tant l'imagination de l'artiste qu'elle ne se contenta pas de lui inspirer des tableaux « illustrant » tel ou tel passage du poème. Son influence se fit ressentir jusque dans des compositions apparemment sans rapport avec Dante. Le 3 mars 1823, Delacroix peinait sur ses *Massacres de Scio (fig. 49)*, l'inspiration semblait lui échapper. Il confia alors à son journal : « Remets-toi vigoureusement à ton tableau. Pense au Dante, relis-le – Continuellement secoue-toi pour revenir aux grandes idées[130]. » Le 14 mars, il envisageait de faire un frontispice : *Dante se promenant dans le Colisée au clair de lune*. Le 11 avril, il plaçait Dante en tête des écrivains capables d'échauffer l'imagination. Le 4 mai, alors qu'il ne réussissait toujours pas à achever son tableau, il acheta une nouvelle traduction en vers de *l'Enfer*, parue quelques mois plus tôt. Le 7 mai, dans un long et capital passage consacré à Dante, il le qualifiait de premier des poètes : « On frissonne avec lui comme avec la chose. Supérieur en cela à Michel-Ange ou plutôt différent. » Puis, pris d'un enthousiasme face à son tableau en cours d'exécution, il s'exclamait : « Mon tableau acquiert une torsion, un mouvement qu'il faut absolument y compléter. Il y faut ce bon noir, cette heureuse saleté [...]. Recueille-toi profondément devant la peinture et ne pense qu'au Dante. C'est là ce que j'ai toujours senti en moi ! » Le 18 mai, il y revenait : « Penses-tu [...] que Dante fût environné de distractions, quand son âme voyageait parmi les ombres ? » Toute la genèse des *Massacres de Scio* fut donc marquée du sceau de *l'Enfer*. Le chef-d'œuvre du Salon de 1824, envisagé sous cet éclairage, acquiert une dimension nouvelle; la sauvagerie, qui traversait le lointain royaume des morts dans le *Dante et Virgile*, est maintenant transposée dans le monde immédiat des vivants. L'enfer est parmi nous. Delacroix renvoyait à ses contemporains une image intolérable de leur condition. Comme dans le premier livre de *la Divine Comédie*, la grandeur de la peine tient à son caractère implacable et la souffrance est éternelle. Dans ce contexte où, contrairement aux *Pestiférés de Jaffa* et au *Radeau de la Méduse*, tout espoir est absent, le sort des Turcs n'est guère plus enviable que celui des Grecs. Perfidement, dans le livret du Salon, Delacroix fit inscrire,

Fig. 48
Jacques Louis David, *Les licteurs rapportent à Brutus le corps de son fils*, 1789.
Huile sur toile, H. 3,23; L. 4,22 m.
Paris, musée du Louvre, département des Peintures, RF 3639

129. Joannides, 2001.

130. Delacroix, 1996 (3 mars 1824).

comme explication du sujet, « voir les relations des journaux du temps ». L'examen de son journal intime permet de comprendre qu'il faudrait plutôt lire : « voir *l'Enfer* de Dante ». L'inspiration littéraire chez Delacroix prit quelquefois des détours étonnants. La poésie était bien, dans ces année-là, à l'origine du principe créateur.

L'œuvre, qui ne peut plus être considérée comme une simple construction, des lignes et des couleurs posées sur une toile par une main habile, devient le lieu d'une expérience, celle de l'inspiration. Et Delacroix, tout jeune encore, retrouva, par l'élévation de son invention, quelque chose de la grandeur de Poussin. Si l'artiste modifia ses références, s'il remplaça les héros antiques par le poète florentin, s'il accorda une place plus importante à l'émotion, il ne chercha pas à arracher la nouvelle peinture au monde imaginaire et formel qui était celui de la tradition humaniste. À la différence de Géricault, son imagination artistique restait soumise à la culture littéraire. En ce sens, il s'inscrivait bien dans la tradition de la peinture d'histoire. Contrairement à ce qu'affirma Baudelaire, *Dante et Virgile aux Enfers* ne constitua pas une révolution, mais une réinterprétation fondamentalement nouvelle des données de la grande peinture.

Fig. 49
Eugène Delacroix, *Scènes des massacres de Scio*, Salon de 1824.
Huile sur toile, H. 4,19; L. 3,54 m.
Paris, musée du Louvre, département des Peintures, RF 3823

Une réinterprétation fondamentale des données de la grande peinture

En prenant pour héros le poète florentin et pour source d'inspiration une œuvre littéraire, Delacroix cherchait délibérément à s'inscrire dans la tradition humaniste de la peinture d'histoire, sans la bouleverser de façon aussi radicale que Géricault l'avait fait en 1819. Pour autant, son choix trahissait une attitude novatrice face à la culture en général et au rapport avec l'antique et les maîtres en particulier. Tout se passe comme si l'artiste se glissait dans les cadres artistiques traditionnels pour mieux en pervertir, un à un, les éléments formels et iconographiques.

Le héros et son double

Delacroix, qui, au lycée impérial, avait été formé aux humanités, était doté d'une vraie sensibilité pour les lettres classiques. Ses auteurs favoris, dans ces années 1820, n'étaient-il pas Horace et Virgile ? Il jouissait d'un bagage culturel qui dépassait probablement la moyenne de celui des artistes actifs dans les décennies précédentes et qui aurait pu le prédisposer à devenir un peintre d'histoire traditionnel. Dans sa quête d'un sujet pour le Salon de 1822, il songea, dans un premier temps, non seulement à une scène de la guerre d'indépendance grecque, mais probablement aussi à un épisode obscur de l'histoire antique. Lee Johnson a montré qu'une petite huile sur papier représentant la *Mort de Drusus, fils de Germanicus*, figurant à la vente posthume de l'artiste, pouvait constituer une première idée pour le tableau de 1822. En effet, un carnet conservé au Louvre *(fig. 50)* contient un dessin préparatoire à cette huile, faisant face à une étude pour les personnages de Dante et de Virgile, et les comptes de l'été 1821. Cette esquisse pourrait donc être datée de l'été ou du tout début de l'automne 1821, au moment où le jeune homme prenait la décision de se présenter au Salon. Sorte de variation sur *le Testament d'Eudamidas* de Poussin, cette *Mort de Drusus* renvoyait à l'un des *topoi* les plus courants de la peinture d'histoire depuis la seconde moitié du XVIIIe siècle : le lit funéraire[131]. En traitant un sujet aussi galvaudé et scolaire, et en s'inspirant de Poussin, Delacroix avait peu de chance de se faire remarquer, d'autant que David avec *la Douleur d'Andromaque* et son maître Guérin, avec *le Retour de Marcus Sextus*, avaient depuis longtemps révolutionné le genre. Aussi se détourna-t-il de l'*exemplum virtutis*, dont le public du Salon s'était depuis longtemps lassé.

Le choix d'un épisode mettant en scène *Dante et Virgile* se révélait, au contraire, particulièrement ingénieux et payant. La caution littéraire justifiait en partie certaines audaces ou incertitudes du pinceau : des nuées noirâtres, suffisantes pour évoquer les Enfers, par exemple, pouvaient dispenser l'artiste d'une définition plus claire et rationnellement construite de l'espace. Par ailleurs, l'alliance des deux poètes lui permettait de rénover un certain nombre de « thèmes-cadres », pour reprendre l'expression de Jan Bialostocki[132], de la peinture d'histoire néoclassique. Dante, errant en enfer et exilé de sa patrie, renvoyait aux pérégrinations des Œdipe, Bélisaire et autres Homère, qui avaient ému les

131. Rosenblum, 1989, p. 36-40.

132. Bialostocki, 1996, ch. 5 et 7.

Fig. 50
Eugène Delacroix, *Album*, f° 40 v°-41 r° : *Étude pour les figures de Dante et de Virgile dans la barque* et pour *la Mort de Drusus*.
Mine de plomb, H. 0,101 ; L. 0,143 m.
Paris, musée du Louvre, département des Arts graphiques, RF 9151

Fig. 51 **[cat. 23]**
Eugène Delacroix, *Album*, f° 41 v°-42 r° : *Dante et Virgile dans la barque*.
Paris, musée du Louvre, département des Arts graphiques, RF 9151

Fig. 52
Eugène Delacroix, *Étude pour la figure de Dante*.
Crayon noir, mine de plomb sur papier beige, H. 0,443 ; L. 0,295 m.
Paris, musée du Louvre, département des Arts graphiques, RF 9167

Salons de la Révolution[133]. Comme ces héros de l'Antiquité, Dante est accompagné d'un guide, Virgile. Mais la comparaison s'arrête là. L'allusion formelle permet d'introduire le spectateur dans une dimension poétique nouvelle. Dans le cas d'Homère ou de Bélisaire, il existait un rapport de hiérarchie entre le héros malheureux et son guide. Ce dernier, généralement un enfant, était anonyme; de plus, chargé de montrer le chemin et d'établir le contact avec le monde, il précédait le vieillard. Dans le tableau de Delacroix, non seulement les deux protago-

133. Voir R. Michel, « Bélisaire ou l'émigration : l'art thermidorien » (Bordes et Michel, 1988, p. 52-54).

Fig. 53 **[cat. 22]**
Eugène Delacroix, *Deux études de personnage drapé, vu de face (Virgile).*
Paris, musée du Louvre, département des Arts graphiques, RF 22944

Fig. 54
Eugène Delacroix, *Études pour la figure de Virgile.*
Lavis brun, pinceau, rehauts de blanc, H. 0,446; L. 0,453 m.
Paris, musée du Louvre, département des Arts graphiques, RF 9160

nistes sont clairement désignés, mais s'est instauré entre eux non pas un rapport de hiérarchie mais d'identité : tous deux sont poètes. L'unité de la composition néoclassique qui, traditionnellement, faisait du héros unique, ou principal[134], le noyau à partir duquel rayonnait tout le réseau signifiant de la représentation[135], se trouvait profondément pervertie. Au centre géométrique de sa toile, Delacroix, après quelques hésitations, plaça la main de Virgile saisissant celle de Dante, dans un geste qui serait comme l'équivalent moderne du serment néoclassique; à l'émotion collective succédait le sentiment individuel. La nouveauté de l'œuvre, son caractère ambigu réside justement dans la juxtaposition de ces deux figures équivalentes. Aussi n'est-ce peut-être pas un hasard si le titre contemporain du tableau, *la Barque de Dante*, cherche à ramener la composition à un schéma plus classique et univoque[136]. Le dédoublement du héros, thème romantique par excellence, introduit une part d'incertitude, voire de confusion dans l'interprétation que le spectateur peut faire de l'image. En effet, le peintre propose simultanément la représentation d'émotions différentes, ce qui est conforme à la définition classique de la peinture d'histoire, mais sans les hiérarchiser. Delacroix rompait avec la notion néoclassique d'image statique destinée à être comprise d'un seul point de vue. Dans ses œuvres de jeunesse, il ne cessa d'explorer ce thème du dédoublement positif (Dante et Virgile, Hamlet et Horatio) ou négatif (Faust et Méphistophélès). C'est dans les illustrations du *Faust*, réalisées entre 1825 et 1827, qu'il alla le plus loin dans l'exploitation du motif. Profitant de l'effet de série, il s'attacha essentiellement à l'évolution réciproque du héros et de son mauvais génie, Marguerite étant d'emblée écrasée par cette union. Dans les premières gravures, il représenta Faust et Méphistophélès de façon monstrueusement semblable (*Faust cherchant à séduire Marguerite*), puis tendit à donner à Faust une figure de plus en plus humaine et à Méphistophélès une physionomie quasi animale (*Faust et Méphistophélès dans les montagnes du Harz*), soulignant, jusqu'à la rupture, le caractère diabolique et presque schizophrénique de cette association.

Dans *Dante et Virgile aux Enfers*, les deux héros sont d'emblée plus clairement individualisés : Dante, en costume médiéval, est reconnaissable à son chaperon rouge et son nez aquilin, Virgile, probablement inspiré d'une mon-

134. Qu'il soit un individu isolé ou une entité comme les Horaces.
135. L'exemple le plus admirable et le plus extrême en est le *Léonidas aux Thermopyles* de David.
136. On aurait là un bel exemple de l'influence du musée sur la signification de l'œuvre. Le titre *la Barque de Dante*, dont je n'ai pu retrouver l'origine exacte, est, de toute évidence, récent. Au XIXe siècle, le tableau est toujours identifié comme *Dante et Virgile aux Enfers*; dans les catalogues du musée, jusqu'à celui de 1985, il est désigné de la même façon. À bien y réfléchir, l'expression *Barque de Dante*, intellectuellement, ne signifie rien, d'autant plus que cette barque est celle de Phlégyas. En revanche, visuellement, elle permet de mettre le tableau en rapport avec *le Radeau de la Méduse*. Il est probable que l'accrochage au Louvre pesa lourdement dans ce changement de dénomination, à un moment où l'analyse formelle l'emportait sur l'iconographie. On observe le même phénomène à propos du *Naufrage de Don Juan*, qui tend, de plus en plus par analogie avec le premier chef-d'œuvre de Delacroix, à devenir *la Barque de Don Juan*.

Fig. 55 [cat. 46]
Eugène Delacroix, *le Naufrage de Don Juan*.
Paris, musée du Louvre, département des Peintures, RF 359

naie antique, à sa couronne de laurier. Delacroix joue des contrastes. À la figure agitée et déséquilibrée du Florentin répond la massivité bien campée du Mantouan, seul point fixe du tableau. Sous les plis du manteau de Dante se devine un corps humain; l'excès de draperies autour de Virgile répare l'absence de corps de celui qui ne devrait être qu'une ombre *(fig. 53, 54)*. À la différence d'Homère et de Bélisaire, Dante voit; il voit ce que Virgile a déjà vu, et dont il a fait le récit dans *l'Énéide* : les Enfers. Aussi le guide n'est-il plus devant, mais derrière le voyageur. Il ne lui montre pas le chemin, mais le soutient, tout en lui laissant vivre pleinement et dramatiquement les étapes de son initiation. On observe alors la superposition d'une aventure individuelle et des caractéristiques symboliques et émotionnelles propres au mythe. Le poète florentin, héros qui n'a rien de triomphant, est saisi dans un moment de faiblesse. Delacroix insistait sur la valeur poétique de « ce sentiment solennel et funestement poétique [...], source intarissable des émotions les plus fortes[137] ». Déjà, en 1819, Ary Scheffer, avec ses *Bourgeois de Calais*, avait, par une subversion des codes traditionnels attachés à ce sujet, ouvert la brèche au héros douloureux, accablé par son destin[138]. Delacroix s'inscrit nettement dans cette lignée. L'initiation de Dante demeure mystérieuse; les motivations de son geste de terreur, avec l'élimination d'Argenti, restent incompréhensibles. Cherchant dans le livret, le spectateur ne trouvera guère plus d'explication – « Dante reconnaît parmi eux des Florentins » – et sera inévitable-

137. Delacroix, 1996 (25 avril 1824).

138. Gaethgens, 1988.

Fig. 56 [cat. 47]
Eugène Delacroix, *le Christ sur le lac de Génézareth*.
Zurich, fondation collection E. G. Bührle

ment renvoyé à la peinture. En détournant le personnage principal du centre du tableau et en faisant plonger son regard au-delà des limites de la toile, Delacroix affirmait la valeur de fragment de la représentation. L'œuvre est taillée aux dimensions de la barque. À la différence des autres embarcations qu'il peindra beaucoup plus tard, comme *le Naufrage de Don Juan (fig. 55)* ou la série des *Christ sur le lac de Génézareth (fig. 56)*, l'esquif n'est pas vu de loin. L'artiste joue sur le gros plan. Dans *Dante et Virgile*, la barque n'est pas le sujet de la représentation, mais sa structure. Rien de ce qui se passe à l'extérieur n'est explicité.

De plus, le vague de l'image est accentué par l'instabilité générale; l'embarcation verse légèrement vers l'avant du tableau et tourne en direction de Dité; Dante, dans un mouvement, peut-être inspiré de la *Rachel* de Michel-Ange[139] mais aussi sûrement du *Cuirassier blessé* de Géricault, bascule du côté de Virgile. L'artiste introduisit ainsi une sorte de suspens, ménageant un effet de surprise. En soulignant le caractère instable de l'événement, en représentant Dante près de trébucher, Delacroix intégrait dans son tableau la dimension temporelle, à l'opposé de la vision panoptique prônée par la peinture d'histoire néoclassique. On pourrait dire, par analogie, que l'artiste substituait le drame à la tragédie. Dans cette dernière, l'issue est inévitable, le spectateur, conscient de la

139. Johnson, 1958.

Fig. 57 [cat. 33]
Eugène Delacroix, *Étude pour les damnés luttant et Virgile.*
Paris, musée du Louvre, département des Arts graphiques, RF 9188

Fig. 58
Nicolas Poussin, *le Déluge*,
(à gauche, détail)
vers 1660-1664
Huile sur toile, H. 1,18; L. 1,60 m.
Paris, musée du Louvre,
département des Peintures, RF 7306

transcendance, sait que les protagonistes luttent en vain. Dans la peinture d'histoire classique, la théorie du moment « prégnant », chère à Lessing, celui qui permet de résumer l'action dans toute sa plénitude, ne supporte guère l'incertitude : tous les éléments de la représentation tendent vers une fin prédéterminée. Se met alors en place un rituel qui fige les comportements dans une éternité, seule garante de la valeur exemplaire du tableau. Le récit se veut exhaustif et strictement hiérarchisé. David, avec *Léonidas aux Thermopyles*, porta cette conception à un degré d'intensité désormais insurpassable. Au contraire, dans *Dante et Virgile aux Enfers*, Delacroix, à la suite de Géricault, cherchait à rompre avec cette tradition : le message était non seulement incomplet, mais parasité par l'agitation absurde des damnés. L'image ne jouait pas sur la continuité entre les personnages principaux et les éléments secondaires, mais, comme dans le drame romantique, sur le contraste, voire le mélange des genres. Les nus n'étaient plus là pour mettre en valeur le héros, par ailleurs saisi dans un moment de faiblesse qui en souligne l'humanité, mais, sans lien apparent avec lui, pour exprimer le climat infernal. Les figures isolées ou les groupes de figures, chacun enfermé dans une solitude qui le relie aux autres, entretiennent alors des rapports qui ne sont

Fig. 59
Antoine Carrache, *le Déluge*,
(à gauche, détail)
vers 1615-1618
Huile sur toile, H. 1,66; L. 2,47 m.
Paris, musée du Louvre, département des Peintures, RF 230

plus d'ordre narratif, mais expressif. La peinture, en partie libérée de l'intelligibilité, peut agir par elle-même. Les critiques d'ailleurs saluèrent ces « beaux morceaux », sans remarquer leur décalage par rapport au sujet. Deux ans plus tard, face aux *Massacres de Scio*, ils chercheront désespérément le centre de la représentation.

Sauvageries

Le jeune homme, désireux de se faire remarquer et utilisant le Salon comme substitut au séjour romain, se devait de montrer ses qualités de peintre d'histoire. L'association de nus, d'une embarcation et de flots impétueux lui permettait, au-delà de l'exemple de Géricault, de réactualiser l'un des thèmes majeurs de la grande peinture : les scènes de déluge, remises récemment à la mode par Girodet. De toute évidence, Delacroix était conscient de cette association d'idées. D'une part, plusieurs dessins pour le damné luttant contre la femme *(fig. 57)* renvoient à l'homme s'accrochant à la barque dans le *Déluge* de Poussin *(fig. 58)*. D'autre part, cette manière de projeter les corps sans solution de continuité fait irrésistiblement penser au *Déluge* d'Antoine Carrache *(fig. 59)*, que Delacroix pouvait admirer au Louvre. Le damné renversé *(fig. 60)* semble inspiré par l'enfant se noyant au premier plan du

Fig. 60 **[cat. 1]**,
Eugène Delacroix, *Dante et Virgile aux Enfers*, détail du damné renversé
Paris, musée du Louvre, département des Peintures, RF 3820

Fig. 61 **[cat. 49]**
Hans Makart, *Dante et Virgile aux Enfers*.
Vienne, Österreichische Galerie Belvedere

célèbre tableau de Carrache; on retrouve un déhanchement proche et surtout cette manière abrupte et dramatique de couper le corps, au niveau des genoux, de la tête et des bras d'un côté, et, de l'autre, au niveau des cuisses.

En 1822, la critique salua unanimement les corps des damnés. Le nu, qui constituait une section entière dans les classes des futurs prix de Rome, était considéré comme la pierre de touche de la grande peinture. Aussi l'artiste en étala-t-il non sans complaisance au premier plan de sa toile. Pour prouver l'assurance de son dessin, il varia les poses : de face, de dos, en extension, contracté... Par ailleurs, afin de souligner sa maîtrise de la couleur, il joua sur les contrastes des chairs : le couple luttant est traité dans une matière plutôt chaude, tandis que le damné renversé est affecté d'une teinte verdâtre, qui évoque le caractère livide d'un mort. Est-ce la raison pour laquelle certains observateurs, au XIXe siècle, imaginèrent que cette figure avait été peinte par Géricault ? Soucieux de leur visibilité, Delacroix les éclaira vivement, un peu au détriment des protagonistes principaux, qui semblent comme en retrait. Bref, le jeune homme ambitieux satisfaisait, en apparence du moins, au culte académique du beau morceau. Mais cette manière très démonstrative de procéder, ramenée au sujet du tableau, introduit une gêne. Ces nus sont intégrés, comme par antiphrase, dans l'espace de la représentation. Comment imaginer que des corps aussi musculeux et pleins de vie puissent évoquer les ombres décharnées que Dante rencontra dans le royaume des morts ? À l'instar de Géricault, l'artiste exalta la puissance des morphologies inspirées par Michel-Ange. Comme dans *le Radeau de la Méduse*, la beauté du canon, la convenance primait sur l'argument du tableau. Delacroix en était conscient. Dans le dessin qu'il réalisa du lac de glace où sont suppliciés les traîtres *(fig. 42)*, les damnés ressemblent bien à des cadavres. Pour le moment, il hésitait encore et ne franchit prudemment le pas de la laideur qu'avec la vieille femme des *Massacres de Scio*, deux ans plus tard. Car c'était bien grâce à cette héroïsation des nus que la représentation devenait acceptable. Le corps ainsi traité échappait à la chair. Quelque quarante ans plus tard, Hans Makart, lors de son voyage à Paris en 1863, fut fortement impressionné par le tableau de Delacroix et en donna son interprétation *(fig. 61)*[140]. Renonçant au format en largeur au profit d'un tableau en hauteur, le peintre autrichien entassa ses personnages dans un espace presque trop petit. Comme dans le tableau de 1822, la toile se construit sur l'opposition entre les poètes et les damnés, mais, ici, la partition se fait le long d'une grande diagonale, qui accentue l'instabilité de la composition.

Fig. 62 **[cat. 14]**
Eugène Delacroix, *Étude d'homme nu*, dit aussi *Polonais*, vers 1820.
Paris, musée du Louvre, département des Peintures, RF 1953-40

140. L'influence de la peinture de Delacroix sur le jeune Makart, à partir de 1863, semble avoir été très importante et mériterait une étude (voir Frodl, 1974). R. Steiner (Steiner, 1994) a déjà rapproché *la Mort de Cléopâtre* du musée de Kassel de *la Mort de Sardanapale* et *Cœur de marbre* de la *Femme au perroquet* du musée des Beaux-Arts de Lyon. On pourrait ajouter que l'Ariane du célèbre *Bacchus et Ariane* (Vienne, Belvédère) rappelle, par sa position, la figure de *la Liberté guidant le peuple*.

Makart a ainsi éliminé toute la part narrative de l'épisode; les damnés, traités dans une matière grasse et large, fortement colorée, portent la charge émotive, mais, privés de musculature, ils sont réduits à impressionnant nœud de viandes flasques; l'enfer se ressentait d'une vision délétère propre à la fin du siècle.

En 1822, au contraire, les nus assumaient la force qui émanait de la toile. La beauté des corps de *Dante et Virgile aux Enfers* ne doit cependant pas nous cacher les distorsions, que Delacroix introduisait par rapport au beau idéal. L'énergie admirable de ces nus pervertissait le schéma classique; le peintre n'en exploitait pas la beauté intemporelle dans ce qu'elle pouvait avoir d'équilibré, mais soulignait la tension des muscles, leur contraction, voire leur crispation, ou l'abandon. À la figure au repos, il substituait le corps en action, se recroquevillant, comme chez le damné au centre de la barque, avant d'exercer une violente détente. Le nu en lui-même ne suffisait plus à exprimer le caractère héroïque, il fallait en rajouter. Certaines de ses académies mêmes, comme le fameux *Polonais* du Louvre *(fig. 62)*, se ressentent du besoin d'exagérer les tensions musculaires. En faisant mine de respecter les conventions, Delacroix en dépassait le caractère abstrait pour arriver à l'expression. En ce sens, il tirait les leçons de Michel-Ange et s'inscrivait dans une modernité. Dès lors, il introduisait une part de temporalité dans le cadre du beau idéal. Un pas venait d'être franchi depuis *le Radeau de la Méduse*. Dans le chef-d'œuvre de 1819, la tension des corps servait à construire une grande pyramide de l'espoir, culminant dans ce dos que Delacroix admirait. La solidarité humaine transmettait le message d'un héroïsme moderne. Dans *Dante et Virgile*, cette libération d'énergie profite, au contraire, aux pulsions destructrices. Il se produit alors un renversement fondamental des valeurs, qui commence à fissurer l'édifice de la peinture d'histoire héroïque. En qualifiant l'œuvre de « parodie » de la « scène terrible mais naturelle » du *Radeau de la Méduse*, le chroniqueur du *Journal des artistes* signalait, de façon négative mais très exacte, ce renversement.

Un vent de folie morbide souffle sur la toile. Toute solidarité a disparu, les misérables luttent les uns contre les autres. Le livret du Salon, de façon symptomatique, ne les désigne pas comme des damnés, avec ce que cela pourrait susciter de compassion, mais comme des « coupables ». Cet acharnement à détruire son prochain les renvoie à la condition animale. À droite de la toile, deux hommes s'empoignent violemment; l'un porte sur son cou la marque d'une cruelle morsure que lui a infligée l'autre. Delacroix, pour ce détail, s'est probablement inspiré d'une peinture anglaise, qu'il devait connaître par la

Fig. 63
Gravure d'après Benjamin West,
la Bataille de La Hougue, 1775-1780,
(à droite, détail)

gravure : *la Bataille de La Hougue* de Benjamin West *(fig. 63)*. Au premier plan sur la droite, l'artiste américano-anglais représenta deux individus dans l'eau s'agrippant par les cheveux *(fig. 63)*. Cependant, ce qui chez West, était justifié par le contexte narratif du combat naval et de l'affrontement des Français et des Anglo-Hollandais, prit dans *Dante et Virgile aux Enfers* des allures d'autant plus monstrueuses que les damnés ne se contentent pas de lutter avec les mains, mais se mordent, réactivant le fantasme du cannibalisme qui, depuis l'épisode de *la Méduse*, faisait frissonner l'opinion publique française. La tentation de la dévoration, dont on trouve un premier exemple ici, constitua un thème récurrent dans l'œuvre de Delacroix : sans même parler du *Naufrage de Don Juan (fig. 55)*, d'ailleurs inspiré à Byron par le récit de Corréard et Savigny, lorsque le peintre envisagea, en 1824, de représenter le combat du Giaour et du Pacha, il le décrivit de la manière suivante dans son journal : « Les vautours aiguisant leur bec avant le combat. Les étreintes des guerriers qui se saisissent. En faire un qui expire en mordant le bras de son ennemi[141]. » Bien plus tard, au plafond de la galerie d'Apollon, qui rappelle irrésistiblement son premier chef-d'œuvre, pour exprimer la violence de la lutte des dieux et des monstres, il peignit une créature infernale mordant la jambe d'Hercule. Les exemples sont légion. Dans le contexte de la toile de 1822 cependant, ce geste acquit une signification tout à fait particulière. D'une part, comme le remarquait le chroniqueur du *Journal des artistes*, il permettait de réactualiser de façon paroxystique le message du tableau de Géricault : « Il débute par parodier la scène terrible, mais naturelle, du naufrage de *la Méduse*, en montrant dans son *Dante* un homme rongeant le crâne d'un autre homme[142]. » D'autre part, dans le contexte d'une représentation de *l'Enfer*, ce détail saisissant, associé à celui du damné mordant la barque, évoquait, par synecdoque, aussi bien l'épisode d'Argenti lui-même que celui plus célèbre d'Ugolin dévorant le crâne de l'évêque Ruggeri. Enfin, ce couple infernal constituait une espèce d'image pervertie, retournée, de la solidarité des poètes sur la barque, un négatif au sens photographique; la sauvagerie contre l'humanité. En matière de représentation, surtout, le geste s'avérait absurde et contraire à la convenance. Grâce à la beauté de ses nus, Delacroix ne pouvait pas encore être tout à fait considéré comme le peintre du laid, mais il était déjà celui du monstrueux. Dans les *Fondements du droit naturel*, Fichte faisait de la bouche humaine, reliée à ce qui est le signe de la liberté humaine, la pensée, l'instrument privilégié de la communication avec autrui. Au contraire, chez l'animal, la gueule ne sert qu'à la nutrition et à l'autodéfense. Les damnés, réduits à se battre avec leurs dents, sont retombés à l'état de bêtes sauvages. Leur faute a conduit à leur déchéance du monde de la pensée à celui de la pulsion la plus abominable : le cannibalisme. Le contraste avec Dante et Virgile en est renforcé et la représentation se charge d'une profondeur inédite, qui l'identifie clairement à une peinture d'histoire moderne, même si le sujet reste littéraire.

Quand ils ne sont pas réduits à des bouches carnassières, les damnés ont littéralement perdu la tête. Tous travaillés d'après un modèle unique, ils sont soumis à une uniformisation de leurs traits, provoquant la disparition du sujet au profit du seul corps, vecteur principal de l'expression. Le centre de la composition, Dante et Virgile, est comme circonscrit d'une guirlande d'anatomies, créant un continuum de musculatures privé d'humanité. Même les distinctions sexuelles semblent être mises à mal. En 1824, Quatremère de Quincy critiquait violemment l'incapacité de Michel-Ange à « rendre les variété des sexes[143] ». Delacroix, dans son tableau pour le Salon de 1822, renonce à la géniale trouvaille de David dans *le Serment des Horaces* : la bipolarité de la représentation avec, d'un côté, l'héroïsme viril, l'action, et, de l'autre, la sensibilité féminine, son commentaire[144]. Dans *Dante et Virgile aux Enfers*, non seulement l'espace masculin n'est plus distinct et complémentaire de celui de la femme, mais le rapport des sexes se construit sur le mode de la violence. De même que l'héroïsme était profondément perverti par l'agitation vaine et pulsionnelle de ces corps privés de raison, de même la sensibilité, autre composante essentielle du néoclassicisme, subissait, avec la toile de 1822, les derniers outrages. La division des sexes, de leur rôle, n'a plus de sens dans ce monde infernal. Bien sûr la femme est prête à verser encore quelque larmes presque touchantes, mais son corps et son attitude sont empreints de signes virils qui nient son identité. Travaillée d'après un modèle

141. Delacroix, 1996 (11 mai 1824).
142. *Journal des artistes*, 20 octobre 1844, 2e série, t. I, p. 349.
143. Quatremère de Quincy, 1824, p. 84.
144. Rosenblum, 1989, p. 67-68.

Fig. 64
Michel-Ange, *la Nuit* (tombeau de Julien de Médicis).
Florence, chapelle des Médicis

Fig. 65
Théodore Géricault, *Léda et le cygne*.
Aquarelle bleue, crayon noir, lavis brun, papier brun, rehauts de blanc, H. 0,21 ; L. 0,28 m.
Paris, musée du Louvre, département des Arts graphiques, RF 833

masculin, cette figure a généralement été rapprochée de la statue de *la Nuit* (*fig. 64*) que Michel-Ange plaça sur le tombeau de Julien de Médicis et que Delacroix pouvait connaître par des dessins de Géricault[145]. Mais le rapport avec son condisciple d'atelier semble encore plus prégnant. La damnée, en effet, est très proche de *Léda et le cygne* de Géricault (*fig. 65*), elle-même influencée par Michel-Ange : on y retrouve la même morphologie de sportive, qui fait saillir les biceps, une position très semblable, un traitement vigoureux du modelé et un clair-obscur qui ne sont pas sans rapport. Dans les deux cas, hormis la poitrine, c'est la chevelure qui trahit la femme : arrangée en chignon chez Géricault, longue et défaite chez Delacroix. Cette façon de viriliser le corps féminin se manifeste, chez ce dernier, à un moment très précis de sa carrière et correspond, si l'on excepte la figure allégorique de *la Liberté guidant le peuple*, à ces années où il se trouve directement sous l'influence de son aîné. La *Vierge du Sacré-Cœur*, dont les chanoines de Nantes refusèrent le drapé mouillé, était affublée des mêmes caractéristiques. À partir de 1824, les femmes de Delacroix retrouvèrent une sensualité, qui devait plus à Rubens, mais c'était, en général, pour être mieux violées, égorgées ou enlevées ! La référence au maître flamand n'est d'ailleurs pas absente de la damnée de *Dante et Virgile* ; la position audacieuse de son bras gauche qui crée la profondeur, mais expose aux yeux du spectateur une aisselle (*fig. 1* et *66*), doit probablement quelque chose à la figure allégorique de la Victoire dans la *Proclamation de la régence de Marie de Médicis* (*fig. 67*).

Dans ce renversement de la distribution des rôles, la violence et la contraction de la femme s'opposent à l'abandon du damné à gauche. Là encore, Delacroix reprenait certains canons du nu masculin contemporain pour les doter d'une énergie nouvelle. Le malheureux de *Dante et Virgile* (*fig. 60*) s'inscrit, pour l'abandon de la pose, dans la série des éphèbes alanguis dont le public, depuis les premiers Salons de la Révolution, était très friand[146]. Bien plus qu'à l'*Aurore et Céphale* de Guérin[147] (*fig. 68*), il renvoie à l'*Endymion* que Girodet présenta au Salon de 1793 (*fig. 69*) : la pose est presque identique, tous deux sont déhanchés, leur poitrine, violemment éclairée, contraste avec le bassin. Si Delacroix a raccourci le cou de sa figure et l'a exposé en pleine lumière, il a, en revanche, placé la tête contre le bras levé, de façon à souligner le menton et à écraser légèrement le profil, comme sur le chef-d'œuvre

145. Johnson, 1958.
146. Solomon-Godeau, 1997 ; Crow, 1997.
147. Ringbom, 1968.

Fig. 66 [cat. 35]
Eugène Delacroix, *Étude de personnages à mi-corps, le bras gauche levé, pour la damnée.*
Paris, musée du Louvre, département des Arts graphiques, RF 9187

Fig. 67 détail
Pierre Paul Rubens, *la Proclamation de la régence de Marie de Médicis* (détail ci-dessus).
Huile sur toile, H. 3,94; L. 7,27 m.
Paris, musée du Louvre, département des Peintures, RF 1779

Fig. 68
Pierre-Narcisse Guérin, *Aurore et Céphale*
Huile sur toile, H. 2,545; L. 1,860 m.
Paris, musée du Louvre, département des Peintures, RF 513

Fig. 69
Anne-Louis Girodet-Trioson, *le Sommeil d'Endymion*, Salon de 1793
Huile sur toile, H. 1,98; L. 2,61 m.
Paris, musée du Louvre, département des Peintures, RF 4935

Fig. 70 [cat. 32]
Eugène Delacroix, *Feuille d'études avec homme mordant la barque*.
Paris, musée du Louvre, département des Arts graphiques, RF 9186

de Girodet. À partir de ce schéma général, l'artiste revitalisa brutalement son modèle. Autant Endymion, dénervé, s'abandonnait à sa béatitude, autant le damné, souffrant, est traversé de tensions musculaires. À la surface lisse et moelleuse, légèrement rosée de Girodet, Delacroix opposa la rugosité de son pinceau, qui, accrochant irrégulièrement la lumière, traduisait les soubresauts des nerfs. Il produisit ainsi une figure ambiguë, mélange d'abandon et de nervosité, mais très évocatrice. Le damné, voué aux tourments éternels, vient de lâcher prise, mais son corps est encore traversé des derniers spasmes de sa vaine résistance.

Privé du siège de la raison, la passion devient pulsion et la représentation bascule dans la sauvagerie. Lorsque le visage apparaît, Delacroix ose transgresser l'un des tabous majeurs de la représentation néoclassique : la grimace. Dans le *Laocoon*, que l'artiste connaissait en 1822, Lessing, à propos de Philoctète, développait une argumentation sur la différence entre la peinture et la poésie. Là où le poète peut traduire le cri du héros, le peintre est contraint, par les canons du beau, à restreindre l'expression de la douleur, afin d'éviter le désagrément esthétique de la grimace. Delacroix, en 1822, commençait à inverser la problématique; l'expression cherchait à primer sur l'impératif esthétique. S'insinuait, encore discrètement alors, les prémices d'une nouvelle conception du beau, rompant avec l'abstraction du beau idéal et où le caractère, et non la seule convenance, devenait le critère discriminant. « Il n'y a de laid dans l'art que ce qui est sans caractère », s'exclamera des années plus tard Auguste Rodin[148]. Le damné mordant la barque *(fig. 45)*, dont le chef se ressent de l'expérience de caricaturiste de l'artiste, est animé d'une expression qui confine presque au gro-

Fig. 71 [cat. 31]
Eugène Delacroix, *Trois têtes d'hommes, dont deux s'agrippant à un rebord*.
Paris, musée du Louvre, département des Arts graphiques, RF 9181

Fig. 72 [cat. 1]
Eugène Delacroix, *Dante et Virgile aux Enfers*, détail du damné s'accrochant à la barque
Paris, musée du Louvre, département des Peintures, RF 3820

Fig. 73
John Flaxman, *Farinata* (illustration pour *l'Enfer*, chant X)
Gravure. Collection privée

tesque, dans son acception romantique. De même, le visage du personnage cherchant, face au spectateur, à entrer dans l'esquif, travaillé de rides profondes, fait preuve d'un expressionnisme inédit *(fig. 71, 72, 98)*. Inspiré d'une gravure de Flaxman pour l'épisode de Farinata au chant X de *l'Enfer (fig. 73)*, il a les yeux injectés de sang, comme certains des pestiférés de Jaffa de Gros.

Avec ce mélange de beauté et d'agressivité, avec cette rhétorique absurde des gestes et cette perturbation du rapport des sexes, Delacroix réinterprétait d'une façon très personnelle les canons de la peinture d'histoire. Il osait pousser l'expression, réduite à celle des corps, jusqu'aux frontières du monstrueux, mais savait encore respecter certains des impératifs du genre, le corps héroïsé en particulier. Son sujet « si voisin de l'exagération » échauffait son imagination romantique, mais, en même temps, servait habilement de caution à ses audaces.

La gloire des poètes

À la sauvagerie des damnés, Delacroix opposait le message d'espoir livré par le couple de poètes, réinterprétation moderne du Platon et de l'Aristote de *l'École d'Athènes* de Raphaël. Le déplacement de la figure de Dante et la trouvaille des mains enlacées au centre géométrique de la composition manifestaient le désir de l'artiste de donner à sa représentation une signification forte, qui dépassait l'illustration de l'épisode et le rendu des émotions. La transposition de *la Divine Comédie* devait acquérir une dimension supérieure. L'étude de la genèse de l'œuvre a montré que l'artiste, fin lecteur du poète florentin, s'était concentré sur les liens unissant les deux hommes. Lue au premier degré, la toile exalte bien cette dimension « psychologique ». Le geste de Virgile est un geste d'amitié et de soutien. Mais, dans le contexte de 1822, la référence à Dante se chargeait d'une signification esthétique et philosophique qui avait presque valeur de manifeste. Le toujours subtil et ambigu Delécluze, grand connaisseur de *la Divine Comédie*, tenta, dans l'une de ses premières livraisons au *Moniteur universel* pour le Salon de 1822, de définir l'essence de la « poésie » moderne à partir de « l'exacte connaissance de ce grand schisme opéré dans les arts par Dante et Michel-Ange[149] ». Il y opposait les modernes, qui, depuis Dante, Pétrarque, Michel-Ange et Léonard[150], mirent l'accent sur l'expression, aux anciens, les Grecs essentiellement, qui, considérant la beauté comme le but de l'art, cultivèrent la forme. Dans le cadre de la doctrine classique de l'imitation, le critique, tout en notant que « notre peinture devait être expressive », recommandait « dans l'intérêt de la vérité et de l'art » de ne point abuser de ce « moyen [l'expression] qui conduit [...] insensiblement à l'exagération et à l'oubli des études indispensables aux arts d'imitation ». Delacroix, en 1822, prenait donc nettement le parti de la « modernité », mais, avec l'union du poète médiéval et du poète antique, il marquait aussi la dette des temps modernes envers les anciens. Face à la conception statique de l'histoire de Delécluze, il proposait une vision plus dynamique, qui, au lieu d'accuser les différences, soulignait les continuités. On pourrait objecter que c'est un peu surcharger l'interprétation d'une œuvre de jeunesse, peinte en quelques semaines, si l'artiste n'avait, tout au long de sa carrière, associé la figure de

148. Rodin, 1911, p. 29.
149. E. J. Delécluze, *le Moniteur universel*, 3 mai 1822.
150. « Léonard de Vinci et Michel-Ange, dans les arts, comme le Dante et Pétrarque dans les lettres, sont peut-être les hommes dont les ouvrages sont les plus curieux et les plus utiles à étudier pour connaître le système poétique des temps modernes. »

Fig. 74
Eugène Delacroix, *Dante et les esprits des grands hommes* (Virgile introduisant Dante auprès d'Homère, détail).
Huile sur toile marouflée, Diam. 6,80 m.
Paris, coupole de la bibliothèque du Sénat

Fig. 75
Eugène Delacroix, *Dante et les esprits des grands hommes*.
Huile sur toile marouflée, Diam. 6,80 m.
Paris, coupole de la bibliothèque du Sénat

Fig. 76
Jean-Dominique Ingres, *l'Apothéose d'Homère*, Salon de 1827.
Huile sur toile, H. 3,86; L. 5,12 m.
Paris, musée du Louvre, département des Peintures, RF 5417

Dante à cette dynamique d'une histoire faite par les grands hommes.

Après *Dante et Virgile aux Enfers*, hormis *la Justice de Trajan* et l'ultime *Ugolin* d'Ordrupgaard, Delacroix ne chercha guère à illustrer un épisode de *la Divine Comédie*. En revanche, l'artiste conserva son admiration pour le poète. S'il n'alla pas jusqu'aux extravagances de Gérard de Nerval qui, dans sa démence, pensait être la réincarnation du Florentin, il n'hésitait pas, comme le raconte Alexandre Dumas, à se costumer en Dante pour des bals masqués. Surtout, la figure de l'Alighieri réapparut à deux reprises dans des œuvres à forte connotation symbolique. En 1840, toujours grâce à l'appui de Thiers redevenu président du conseil, Delacroix obtint une commande pour la bibliothèque du palais du Luxembourg, qu'il ne livra qu'en 1846. À la coupole *(fig. 75)*, il représenta les limbes décrits au quatrième chant de *l'Enfer*. « C'est une espèce d'Élysée où sont réunis les grands hommes qui n'ont pas reçu la grâce du baptême », expliqua-t-il dans *l'Artiste* le 4 octobre 1846. Sur la toile marouflée, il inscrivit les mots de Dante : « Leur renommée leur a valu une distinction si précieuse. » Le décor, à l'iconographie très complexe, célèbre, comme l'a admirablement montré Michèle Hannoosh, la conservation des idéaux et de la civilisation face à la barbarie et à la destruction, la bibliothèque symbolisant ce foyer culturel toujours vivace[151]. Au milieu d'une réunion de grands personnages de l'Antiquité grecque et de l'Antiquité romaine, généraux comme Pyrrhus ou Hannibal, poètes comme Sapho ou Stace, hommes d'État comme Périclès ou César, orateurs comme Démosthène ou Cicéron, philosophes comme Socrate ou Sénèque, Virgile introduit Dante

151. Hannoosh, 1995, p. 147-160.

Fig. 77 [cat. 7]
Eugène Delacroix, *Virgile introduisant Dante auprès d'Homère*
(feuille d'étude pour la coupole de la bibliothèque du Sénat).
Paris, musée du Louvre, département des Arts graphiques, RF 9542

Fig. 78 [cat. 6]
Eugène Delacroix, *le Groupe des poètes*
(étude pour la coupole de la bibliothèque du Sénat).
Marseille, musée Grobet-Labadié, G.L. 1920

auprès d'Homère *(fig. 74, 77-80)*. Cette fois-ci, le père de *l'Énéide* précède l'auteur de *la Divine Comédie*; une diagonale dynamique relie Dante à Homère. Ce qui, dans le *Dante et Virgile aux Enfers*, n'était que latent en raison du choix d'un sujet comportant, malgré tout, encore une part de narration, apparaît au grand jour dans cette œuvre, inspirée d'un passage plus clairement symbolique : le rôle des grands hommes et la continuité de leur action pour préserver, à travers les vicissitudes de l'histoire, la civilisation. Il n'est pas impossible qu'avec cette coupole, Delacroix ait souhaité répondre au plafond que peignit Ingres en 1827 pour la première salle de la section antique du musée Charles X au Louvre : *l'Apothéose d'Homère (fig. 76)*. La comparaison des deux toiles est éclairante. Dans celle d'Ingres, qui intègre contrairement à Delacroix des modernes comme Racine ou Mozart, toute action est suspendue. Homère, aveugle, trône inexpressif et abstrait comme une divinité antique, tandis que les grands génies viennent lui rendre hommage. L'image a tout d'une allégorie. Poussin, au bas des degrés qui conduisent au dieu, d'un geste impérieux de la main, renvoie le spectateur à cette référence éternelle et immuable. La vision d'Ingres de l'histoire, encore très empreinte du relativisme des Lumières, regarde du côté d'une origine fantasmée, désormais lointaine, inapprochable et à jamais perdue dans son absolue perfection. Au contraire, la conscience historique de Delacroix s'inscrit dans une dynamique. Alors que dans *Dante et Virgile aux Enfers*, il avait cherché à étouffer l'argument de façon à donner plus d'ampleur à l'expression et au rapport entre les deux héros, dans le décor du Luxembourg, grâce au mouvement des protagonistes principaux, il réintroduisit comme un souffle narratif. Sa coupole n'est pas une allégorie dans l'acception traditionnelle du terme, mais une évocation du sens de l'histoire. Du côté du musée, Ingres proposait une « sainte conversation » moderne; de celui de la bibliothèque, Delacroix donnait une « présentation au temple » d'un genre nouveau. La question posée n'était pas encore celle de l'artiste, comme dans la seconde moitié du siècle, mais celle du grand homme, première étape dans le développement d'une conscience historique profondément marquée d'une culture humaniste, et plus précisément du poète. Pour le jeune Delacroix, qui, par la suite, changea d'avis, le premier des arts n'était pas la peinture, mais la poésie. « Que je voudrais être poète ! Mais au moins, produis avec la peinture[152] ! », car, pour le poète, « tout est inspiration ».

L'importance, pour Delacroix, des personnages illustres, au premier chef les poètes, réside en partie dans leur capacité à régénérer des cultures sur le déclin[153]. « Quel est le caprice qui fait apparaître un Dante [...] dans la mercantile Florence deux cents ans avant cette

152. Delacroix, 1996 (11 mai 1824).

Fig. 79 **[cat. 8]**
Eugène Delacroix, *Virgile introduisant Dante auprès d'Homère*
(feuille d'étude pour la coupole de la bibliothèque du Sénat).
Paris, musée du Louvre, département des Arts graphiques, RF 12858

Fig. 80 **[cat. 9]**
Eugène Delacroix, *Virgile introduisant Dante auprès d'Homère*
(feuille d'étude pour la coupole de la bibliothèque du Sénat).
Paris, musée du Louvre, département des Arts graphiques, RF 12859

élite de beaux esprits dont il sera le flambeau ? » L'histoire avance non pas en raison d'un déterminisme social, géographique ou économique, comme on le proposera dans la seconde moitié du XIXe siècle, mais grâce à l'apparition d'hommes d'exception, de génies, qui ne doivent rien à leurs prédécesseurs ou leur contemporains, mais qui sont comme reliés entre eux par leur mission civilisatrice. Avec Ingres, la référence était unique et indépendante du contexte historique. Pour Delacroix, les grands hommes se passent en quelque sorte le relais pour éviter à l'humanité de basculer définitivement dans la barbarie. Au Luxembourg, le clé d'interprétation est donnée par le cul-de-four : Alexandre protège de la destruction les manuscrits d'Homère. Avec Delacroix, la sauvagerie n'est jamais loin, l'idée de la chute est omniprésente. Réinterprété au regard de ce thème récurrent, le tableau de 1822 acquiert une dimension nouvelle. Delacroix, peut-être inconsciemment, y célébrait le triomphe du génie humain sur la sauvagerie et la chaîne des grands poètes à travers les âges. Dante, pourtant homme de son temps, chassé de Florence, est relié à Homère par Virgile *(fig. 79, 80)*, dont il reproduisit à sa manière le périple. Dans la coupole, à la différence d'Ingres, Delacroix élimina les artistes. Les poètes dominent l'auguste assemblée et apparaissent comme les dépositaires principaux de la civilisation. Face au groupe composé par Homère, Virgile et Dante, il représenta Orphée. Juliusz Starzynski a mis en évidence la dimension orphique de l'œuvre[154]. Selon cette philosophie, qui influença profondément le romantisme français, la poésie est la force primordiale de la connaissance et Homère justement l'intermédiaire entre le mythique berger des temps héroïques et la longue chaîne des « hommes inspirés » jusqu'aux temps modernes. Dans *Dante et Virgile aux Enfers* de façon plus dramatique, comme dans la bibliothèque du palais du Luxembourg de façon plus idyllique, le peintre, homme de son temps, célébrait cette continuité immémoriale de la civilisation. Orphée, Virgile et Dante, tous trois, pour peindre leur siècle, visitèrent les régions infernales. Qu'il soit aux Enfers ou dans les Champs Élysées, le grand homme est toujours plus ou moins lié au royaume de la mort, ne serait-ce que par la perpétuation et la réactualisation du message de ses prédécesseurs.

Contrairement à Ingres aussi, Delacroix, qui s'inspirait librement du chant IV de l'*Enfer*, ne peignit, hormis Dante, aucun moderne. Au monde exclusivement masculin de *l'Apothéose d'Homère* où les seules femmes sont des allégories de *l'Iliade*, de *l'Odyssée* et de la Victoire, la coupole du Sénat oppose un univers mixte : Sapho, Porcia et surtout Aspasie, absentes du texte de Dante,

153. Hannoosh, 1995, p. 155.
154. Starzynski, 1963 ; sur la dimension orphique de l'œuvre de Delacroix, voir aussi Loyrette, 1996.
155. *Id.*, 1962.

Fig. 81
Eugène Delacroix, *Portrait de George Sand*, 1838.
Huile sur toile, H. 0,79; L. 0,57 m. Copenhague, musée d'Ordrupgaard

Fig. 82
Eugène Delacroix, *Dante et les esprits des grands hommes*, détail (Aspasie)
Paris, coupole de la bibliothèque du Sénat

trouvent leur place dans cette auguste réunion. Cette dernière a quelquefois été identifiée avec George Sand[155] *(fig. 82)*; il est vrai que la ressemblance est frappante. Aspasie, aux cheveux sombres, tourne la tête de la même façon que l'écrivain dans le portrait de 1838 *(fig. 81)*. L'idée du sujet pour ce décor vint probablement à l'artiste après un séjour à Nohant lors de l'été 1842. Par ailleurs, Delacroix aurait donné à Dante les traits de son ami Chopin, alors très malade. Le caractère assez « réaliste » du visage ne contredit pas l'hypothèse. Un dessin célèbre viendrait même la confirmer : Delacroix y a représenté Chopin en Dante *(fig. 83)*. Selon Robaut, ce portrait pourrait avoir été exécuté comme souvenir après la mort du musicien en 1849. Il paraît plus raisonnable, étant donné l'acuité avec laquelle les traits sont rendus et la signature en forme de rébus, de le dater vers 1845-1846, au moment où le peintre achevait son décor. Le costume, la couronne de laurier, ainsi que la présentation de profil comme sur les médailles, souligne la volonté d'inscrire l'ami dans un cérémonial de distinction, manifestant la dimension orphique du portrait. Chopin, bien qu'ayant endossé les habits de l'illustre poète, est immédiatement reconnaissable. La comparaison avec un dessin préparatoire pour le double portrait, aujourd'hui découpé, de 1838, ne laisse aucun doute *(fig. 84)*. Pourtant, une observation plus attentive permet d'entrevoir que Delacroix a légèrement exagéré les traits du musicien pour accentuer la ressemblance avec Dante, dont, dans un carnet de jeunesse, il avait dessiné le masque mortuaire *(fig. 85)* : le nez a été rendu plus fin et plus aquilin, le menton moins marqué et la lèvre inférieure remonte. Delacroix admirait Chopin. La similitude de physionomie entre son ami et son poète favori ne devait que confirmer la validité de cette idée d'équivalence – avec ce que cela suppose d'originalité propre – des grands hommes à travers les siècles, de cette ambivalence du destin individuel et du mythe : Dante n'est pas un imitateur de Virgile, mais un nouveau Virgile; Chopin n'est pas un imitateur de Dante (il ne

Fig. 83 **[cat. 10]**
Eugène Delacroix, *Chopin en Dante.*
Paris, musée du Louvre, département des Arts graphiques, RF 20

Fig. 84
Eugène Delacroix, *Portrait de Chopin.*
Paris, musée du Louvre, département des Arts graphiques, RF 31280
Mine de plomb, rehauts de blanc, H. 0,292; L. 0,220 m.

Fig. 85 **[cat. 5]**
Eugène Delacroix, *Album*, f° 14 r° : *Trois études d'après le masque mortuaire de Dante.*
Paris, musée du Louvre, département des Arts graphiques, RF 9150

s'exprime de toute façon pas dans le même médium), mais un nouveau Dante[156]. La poésie est bien le premier des principes créateurs[157] : « J'ai pensé [...] que ce serait une excellente chose que de s'échauffer à faire des vers rimés ou non sur un sujet pour s'aider à y entrer avec feu pour le peindre[158]. » Le peintre conserva jalousement jusqu'à sa mort cet émouvant dessin, qu'il marqua, par le caractère crypté de sa signature, du sceau de l'intime. Le portrait déguisé, lourd de significations, devenait lui-même un rébus romantique : « Cher Chopin. »

La hardiesse de Michel-Ange, la fécondité de Rubens

Avec *Dante et Virgile aux Enfers*, Delacroix souscrivait à cette conception moderne et éminemment romantique de l'histoire faite par les grands hommes : Dante reproduit à sa manière le parcours de Virgile. Esthétiquement, cette vision historicisante se traduisit par un élargissement du spectre des sources d'inspiration et par la remise en question de l'argument d'autorité proposé par la tradition. Dans *l'Apothéose d'Homère*, Ingres avait exalté la référence unique et absolue; au palais du Luxembourg, si Homère continuait de dominer l'assemblée, chacun était libre de suivre sa voie propre, selon son génie particulier, qui n'était, en quelque sorte, que la réactualisation de l'esprit créateur. On comprend mieux que le premier ait réussi à transformer son atelier en une petite dictature des bons préceptes, tandis que Delacroix fut incapable de former des élèves, Lassalle-Bordes ou Andrieu devant plutôt être considérés comme des aides[159]. Alors qu'Ingres réaffirmait la valeur intellectuelle de l'art, Delacroix, plus moderne, en revenait presque à une idée artisanale de l'atelier, où s'élabore la « cuisine » du peintre. En même temps, la conception pragmatique de son art, malgré les apparences, finissait par se révéler plus optimiste que celle de son collègue. Elle ne regardait pas en arrière vers une perfection qui s'affaiblissait de génération en génération. Dans *l'Apothéose d'Homère*, à chaque époque, les grands hommes descendent d'un degré, qui les éloigne du père originel. Seul Raphaël figure parmi les antiques, mais, de La Fontaine, on ne voit guère que la tête. La réaffirmation de plus en plus vigoureuse des préceptes correspondait à cet évanouissement progressif. Delacroix, formé au moment où s'était constitué l'extraordinaire accumulation de chefs-d'œuvre du musée Napoléon, ne pouvait souscrire à cette conception héritée du relativisme des Lumières. Si toutes les époques n'étaient pas capables d'atteindre à la beauté, l'institution l'avait cependant mis en contact avec la multiplicité des génies, qu'il s'attachait à copier : Raphaël et l'Antique bien sûr, mais aussi Rubens, Titien ou Véronèse. Il n'est pas impossible que le jeune artiste, avide de devenir un grand homme, ait espéré prendre le relais. En 1824, cette question le travaillait encore : le 27 avril, il eut une longue discussion avec des amis « sur le génie et les hommes extraordinaires » ; le surlendemain, il confia à son journal son désir de gloire. C'était bien l'énergie déployée pour se faire un nom, et non la nostalgie d'un âge d'or, qui animait sa jeunesse. La modernité se caractérise justement par cette dynamique de l'histoire; l'ouverture du musée du Luxembourg en 1818, destiné à affirmer la grandeur de l'école nationale et du mécénat royal, sanctionnait indirectement cette évolution des mentalités. D'une certaine manière, la perfection n'était pas derrière, mais devant les hommes du XIXe siècle. Aussi la référence, la source d'inspiration, pouvait-elle être appréhendée avec une plus grande liberté de choix et de traitement.

Probablement un peu déroutés par la nouveauté de l'inspiration sombre et dramatique et par l'énergie de la touche, les commentateurs du tableau de 1822 ne purent en rendre compte que par analogie. Gros qualifia l'œuvre de « Rubens châtié » ; Landon évoqua « un vieux maître de l'école florentine » ; Thiers, Rubens et Michel-Ange; et, plus tard, Arnold Scheffer, Géricault. La toile, qui se ressentait du rôle du musée dans la formation de Delacroix, apparaissait comme une sorte de florilège personnel de la peinture. Tant que les artistes respectaient les canons du beau idéal, l'œuvre pouvait être analysée en termes de variation ou de conformité à ce modèle abstrait. La manière propre à chaque peintre, son style, était compris, conformément à la tradition rhétorique

156. « [...] ce qui [fait] l'homme extraordinaire [est], radicalement, une manière tout à fait propre à lui de voir les choses » (Delacroix, 1996 [27 avril 1824]).
157. Larue, 1998, p. 188.
158. Delacroix, 1996 (25 avril 1824).
159. La conséquence en fut que ni Lassalle-Bordes, ni Andrieu ne purent prétendre au statut et à la qualité des meilleurs élèves d'Ingres. Anne Larue (1996-a) a bien montré la tension qui existait entre le désir (moderne) d'affirmation de ces aides et la manière dont le maître entendait cette « collaboration ».

classique, comme un choix particulier parmi des variantes plus ou moins canoniques. Dans ce contexte, l'originalité n'était pas considérée comme la qualité primordiale et elle se mesurait à la manière dont le peintre avait su doser l'équilibre entre l'écart et le respect de la norme. Delacroix sortait de ce schéma. Soulignant l'expression au détriment de la correction, la couleur aux dépens du dessin, l'énergie presque contre la convenance, il affirmait le caractère singulier de son inspiration. En même temps, avec ses nus, avec la référence à Virgile et à la littérature, il se présentait comme un vrai peintre d'histoire, dans la tradition classique. Il en résulta une peinture profondément ambiguë, systématiquement un peu décalée par rapport aux critères d'analyse traditionnels, mais évitant soigneusement toute provocation. Après les coups d'éclat des deux Salons suivants, ce premier chef-d'œuvre, replacé dans une évolution, fut *a posteriori* réinterprété. L'originalité devenait le critère discriminant pour ce peintre qui entendait faire du neuf. Le style pouvait être compris comme l'expression de la singularité de l'artiste; l'idéal romantique subjectif se substituait à l'abstraction du beau néoclassique. L'excès de citations dans le tableau de 1822 fut alors critiqué aussi bien par les partisans du jeune homme, qui stigmatisaient son manque d'audace, que par ses détracteurs qui criaient au plagiat. Comme le soulignaient Aycard et Flocon en 1822, Delacroix n'avait pas encore pleinement trouvé sa « manière[160] » et Arnold Scheffer de renchérir : « Dans cette première production, imitant la manière de Géricault, M. Delacroix annonçait déjà un véritable talent, mais non cette originalité qui distingue aujourd'hui ses ouvrages[161]. »

En 1822, pourtant, les grands peintres auxquels Delacroix faisait le plus ouvertement référence, Michel-Ange et Rubens, avaient presque valeur de manifeste de la modernité. Chez Delacroix, l'hommage à Michel-Ange était de toute évidence vécu par l'intermédiaire de Géricault. Il est extrêmement difficile aujourd'hui de déterminer, dans *Dante et Virgile aux Enfers*, ce qui relève directement de gravures du *Jugement dernier* de la chapelle Sixtine de ce que le jeune artiste devait à la réinterprétation que son aîné en donna. Peut-être le geste de Virgile se couvrant la tête, comme le faisaient les Anciens avant d'aborder les Enfers, est-il inspiré de la position du bras du Christ infligeant le châtiment sur la fresque du Vatican[162]. De toute façon, la valeur de la source michelangelesque était plus générale et symbolique et ne peut se voir réduite à quelques emprunts formels. L'exemple du carnet du Louvre, où il illustra l'épisode de la barque de Charon au chant III de *l'Enfer*, a montré que l'artiste chercha à soigneusement éviter toute citation trop explicite. Aussi fit-il glisser son sujet de la barque de Charon à celle de Phlégyas. L'association entre Dante et Michel-Ange, habituelle au début des années 1820, suffisait à exprimer la valeur accordée par les modernes à l'expression, la *terribiltà*. Quatremère de Quincy, gardien farouche de la tradition, définissait *le Jugement dernier* comme « un *monstrum*, qui, par la nature même du sujet, et d'une invention hors des vraies limites de l'art, a dû rester sans imitateur, comme lui-même il n'avait pas eu de modèle[163] ». Delacroix faisait bien preuve d'une audace toute moderne en évoquant, par analogie et à travers la référence à Dante, le chef-d'œuvre de la chapelle Sixtine. « Michel-Ange semble s'être plus occupé de faire mouvoir ses figures que de les faire penser. Généralement nulle sensibilité dans ses têtes, nulle grâce dans ses compositions, nulle prétention soit à exprimer la beauté, soit à rendre la versatilité des âges, des sexes, des conditions, des costumes. Il ne connut qu'une qualité, celle de la force, qu'un mode d'expression, celui d'une humeur sombre[164]. » Quatremère de Quincy définissait, en creux, les caractères fondamentaux de la représentation néoclassique (beauté, grâce, rationalité, sensibilité, convenance, noblesse...) auxquels Delacroix, marqué par l'exemple de son illustre ancêtre, ne répondait qu'imparfaitement. Peu à peu, *le Jugement dernier* passait du statut de curiosité aussi fascinante que démesurée, de *monstrum*, à celui de modèle. Dans cette évolution, dont on pourrait tracer le fil depuis le *Déluge* de Girodet et *le Radeau de la Méduse* de Géricault, *Dante et Virgile aux Enfers* marquait une étape nouvelle; pour reprendre l'expression de Thiers, à la « hardiesse de Michel-Ange », Delacroix joignait la « fécondité de Rubens ». L'audace de la conception, la *terribiltà* du sujet, la force des nus, héritées de l'Italien, s'exprimaient dans une forme pleine de vitalité et d'énergie,

160. F. Flocon et M. Aycard, *Salon de 1824*, Paris, 1824, p. 17.
161. A. Scheffer [non signé], « Salon de 1827 », *Revue française*, 1828, t. 1, p. 197.
162. Lee Johnson (1958) y voit plutôt l'influence de l'*Isaïe* du plafond de la chapelle Sixtine.
163. Quatremère de Quincy, 1835, p. 128.
164. *Id.*, 1824, p. 84.

Fig. 86
Antoine-Jean Gros, *les Pestiférés de Jaffa*, Salon de 1804
Huile sur toile, H. 5,23 ; L. 7,15 m.
Paris, musée du Louvre, département des Peintures, RF 5064

riche d'empâtements et de couleurs, qui devaient beaucoup au peintre flamand, remis à l'honneur par Gros quelques années plus tôt.

Au Salon de 1822, Gros, enthousiaste, aurait qualifié *Dante et Virgile aux Enfers* de « Rubens châtié ». Delacroix, qui vouait un véritable culte à celui qui avait pris le relais de David à la tête de «l'école», considéra ce compliment comme la récompense suprême de ses efforts. Son tableau semble, en bien des points, redevable aux *Pestiférés de Jaffa (fig. 86)*, qu'il avait pu voir dans sa jeunesse ou dans les réserves du musée. À la différence des naufragés, animés d'un grand mouvement d'espoir, de Géricault, les malheureux de Gros, voués à une mort certaine, figés d'horreur ou se tordant de douleur, n'ont, comme les damnés de *Dante et Virgile*, plus rien à attendre. Delacroix s'en inspira et il reprit, pour le coupable cherchant à s'introduire dans la barque, l'idée d'injecter les yeux de sang. Dans le tableau de 1804, ce détail terrifiant se justifiait par les symptômes de l'épidémie; dans celui de 1822, il exprimait la sauvagerie. Delacroix poussait jusqu'à l'expressionnisme les trouvailles de son prédécesseur. Si Gros avait eu la décence, ou, pour employer un vocabulaire plus esthétique, la convenance de maintenir ses corps dans l'obscurité, le jeune peintre les étalait en pleine lumière et leur donnait une importance inédite. La chaleur du coloris, l'insistance sur les rouges et les bruns ne sont pas non plus sans évoquer le tableau de l'Empire, où le célèbre peintre avait déjà essayé de mêler la force de l'inspiration michelangelesque à la richesse rubénienne du pinceau. Delacroix avait parfaitement compris les leçons du maître et aurait dû être transporté d'enthousiasme lorsque Gros, conscient de l'importance de *Dante et Virgile aux Enfers*, lui proposa d'entrer dans son atelier pour préparer le prix de Rome.

Delacroix hésita[165], puis refusa[166]. Gros, selon Riesener et Piron, lui en aurait gravement tenu rigueur et ses attaques au Salon suivant – « c'est le massacre de la peinture » se serait-il exclamé devant les *Massacres de Scio* – auraient été motivées par un violent ressentiment à l'égard du présomptueux jeune homme. L'explication, pour valable qu'elle soit, n'épuise cependant pas la question. Les raisons du refus de Delacroix, comme celle du retournement de Gros relevèrent peut-être aussi de données artistiques. Delacroix sentit très vite, au-delà des contraintes imposées par le cursus classique qu'il stigmatisera dans sa fameuse *Lettre sur les concours*, publiée en 1831 dans *l'Artiste*, les limites d'un maître, gardien du temple des préceptes davidiens : « Le torse et le tableau de M. Debay, élève de M. Gros, élève couronné, m'ont dégoûté de l'école de son maître, et hier encore j'en avais envie[167] ! » S'il était dégoûté de l'orthodoxie de son enseignement, en revanche, l'ascendant de sa peinture se fit sentir encore très fortement dans les années qui suivirent. Piron raconte qu'à l'issue du Salon de 1822 Delacroix rendit visite à Gros. Ce dernier, interrompu, dut le laisser seul dans son atelier. Le jeune artiste en profita pour admirer et étudier à loisir les compositions datant de l'Empire. Par compositions, il faut probablement entendre les esquisses, les tableaux étant la propriété de l'État[168]. Or, c'est justement dans ces esquisses que la modernité coloriste du peintre éclate au grand jour. Généralement travaillées sans contours déterminés, elles sont traitées avec fougue et vivacité et composées de touches visibles, vives et précises. Leur unité est assurée par la couleur, comme dans la bataille de Nazareth (Nantes, musée des Beaux-Arts). La peinture n'acquiert sa signification que vue à quelque distance; la couleur y assume tout entière l'expression, le sentiment extraordinaire d'agitation, le grouillement de la foule, avant même que le spectateur ait pu en percevoir le sujet. Avec ce type d'œuvres, Gros livrait sa leçon et Delacroix s'en souviendra, de façon évidente, dans son *Boissy d'Anglas à la Convention (fig. 87)*, sinon dans son *Assassinat de l'Évêque de Liège*. Cependant, ce qui chez le premier était jubilation devenait, chez le second, sauvagerie.

Le compliment « c'est du Rubens châtié », lorsqu'il est rapporté par les historiens de l'art, a rarement été compris à sa juste valeur. Gros, en réalité, y exprimait son ambition personnelle de peintre, dont il trouvait des échos dans *Dante et Virgile aux Enfers* : l'alliance de la ligne davidienne et de la richesse chromatique, de la sensualité rubénienne, de la force de Michel-Ange et de la noblesse

165. Delacroix, 1996 (12 septembre 1822).
166. *Ibid.*(5 octobre 1822).
167. *Ibid.*
168. Contrairement à ce que l'on dit souvent, à la suite de Piron et d'Alexandre Dumas, qui brode généralement sur des anecdotes réelles, il n'y aucune raison pour que Delacroix ait pu voir, en 1822 dans l'atelier de Gros, les grands tableaux de l'Empire. Ces toiles, propriété de l'État, inexposables en raison de leurs sujets napoléoniens, étaient cependant conservées dans les réserves du musée. En 1821, Forbin songea à les présenter dans un musée historique aux Invalides (Chaudonneret, 1999, p. 38). En revanche, Delacroix a effectivement pu voir les esquisses pour ces tableaux, encore en possession de Gros et dont certaines se retrouveront à sa vente posthume.

classique. Delacroix aurait peut-être pu devenir son meilleur élève. Dans l'expression, cependant, l'adjectif a autant d'importance que le nom et le grand peintre célébrait la manière dont le jeune artiste avait, en 1822, su tempérer ses audaces formelles par le respect de certaines conventions de la peinture d'histoire. Malheureusement, l'évolution pathétique du maître de Jaffa le conduisit à valoriser de plus en plus la correction au détriment de la chaleur et l'adjectif finit par étouffer le nom. En 1824, Delacroix, avec les *Massacres de Scio*, lui rendait le plus cruel hommage; le jeune homme assumait pleinement la leçon de celui, qui, à son corps défendant, ne tarderait pas à être reconnu comme le père des romantiques. Gros, trop conscient de l'impulsion terrible qu'il avait donnée à la peinture française et qu'il refusait au nom d'un intégrisme davidien, ne pouvait que rejeter violemment la toile qui le confrontait à sa responsabilité. Avec *Dante et Virgile*, Delacroix s'émancipait de l'ascendant trop exclusif de Géricault; avec les *Massacres de Scio*, il tirait les conséquences les *Pestiférés de Jaffa*. De même que Géricault avait introduit le jeune homme dans l'univers de Michel-Ange, l'étude des peintures de Gros lui permit de préciser la leçon de Rubens.

La dette de Delacroix envers Rubens, dans *Dante et Virgile aux Enfers*, pourtant maintes fois soulignée[169], l'a rarement été à sa juste valeur. Au moment où il décidait de se présenter au Salon, le jeune homme s'attachait à étudier le maître anversois. De toute évidence, il en comprit parfaitement le génie, mais son tempérament, marqué par le désir d'expérimenter, fébrilement inquiet et impatient, le conduisit à adopter une manière, qui, mal-

169. Sur les rapports de Delacroix et de Rubens, voir Ehrlich, 1967 et Floetemeyer, 1998. Ce dernier, étonnamment, s'en tenant presque exclusivement aux emprunts formels directs, n'accorde que quelques lignes à *Dante et Virgile*.

Fig. 87
Eugène Delacroix, *Boissy d'Anglas à la Convention*, 1831.
Huile sur toile, H. 0,79; L. 1,04 m. Bordeaux, musée des Beaux-Arts

Fig. 88 **[cat. 17]**
Lucas Vosterman, d'après Rubens, *Héro et Léandre*.
Paris, musée du Louvre, département des Arts graphiques, RF 20369

gré les apparences, se révéla bien différente. Au mouvement lyrique, large et économe, incroyablement sûr de lui, de Rubens, il opposait une brosse plus lourde, un métier plus brutal, une palette plus compliquée.

Dante et Virgile a peut-être été inspiré par un dessin de Voesterman d'après *Héro et Léandre* de Rubens[170] *(fig. 88)*. On y retrouve ce même climat tumultueux, mélange de flots déchaînés et d'air. Le corps du pêcheur, dans sa frontale horizontalité, rappelle le malheureux du tableau de 1822. Sur la composition flamande, la sirène à l'extrême gauche n'est pas sans rapport avec la femme de *Dante et Virgile aux Enfers*. Mais c'est le cycle de Marie de Médicis qui attirait alors toute l'attention de Delacroix. La damnée a souvent été rapprochée d'une Néréide au premier plan du *Débarquement de Marie de Médicis à Marseille (fig. 89)*, qu'il copia dans ces mêmes années[171] *(fig. 91)*. Il n'est pas impossible, de façon plus générale, que la composition renvoie, dans cette stricte division de la composition, à cet épisode du fameux cycle. Cependant, là où Rubens hiérarchisait très strictement les registres, le jeune artiste les juxtaposait. Dans un dessin qu'il fit vers 1822 du *Débarquement (fig. 90)*, il rendit compte de cette perception du chef-d'œuvre du Louvre. Dans la partie inférieure, le crayon prend une densité qui laisse comme estompée la partie supérieure. Cette dualité correspondait, dans l'esprit de Delacroix, à une vision particulière de l'histoire. Quelques années plus tard, dans ses écrits sur la vie de Gros – preuve que ce dernier a bien constitué pour lui un guide dans l'art de Rubens –, il souligna l'ambivalence de la représentation rubénienne : « Emporté par

170. Johnson, 1958.

171. Cuzin, 1993, n° 160.

Fig. 89
Pierre Paul Rubens, *le Débarquement de Marie de Médicis à Marseille*, 1621-1624
Huile sur toile, H. 3,94; L. 2,95 m.
Paris, musée du Louvre, département des Peintures, RF 1774

Fig. 90 **[cat. 15]**
Eugène Delacroix, dessin d'après *le Débarquement de Marie de Médicis* de Rubens.
Paris, musée du Louvre, département des Arts graphiques, RF 32249

un instinct de son génie, Rubens dédaigne l'histoire ou ne lui accorde qu'une place secondaire. Dans les magnifiques tableaux où il nous peint la vie de Marie de Médicis [...], les personnages contemporains ne sont le plus souvent que des froids témoins d'une action dont les véritables acteurs sont des êtres surnaturels[172]. » Delacroix découvrait la valeur mythique de l'histoire, à l'opposé du sublime contemporain de Géricault ou de la conception édifiante des classiques. Sa vision infernale offrait, en quelque sorte, une interprétation moderne et sombre de cette dimension fabuleuse; la peinture littéraire s'accommodait parfaitement du merveilleux rubénien. L'influence du Flamand ne se réduisit cependant pas, en 1822, à cette découverte capitale.

Le dessin d'après *le Débarquement de Marie de Médicis* est, d'autre part, couvert d'annotations relatives aux couleurs et aux ombres. Dans ses recherches sur les peintures de Rubens, Delacroix s'intéressait moins à leur composition qu'à leur technique. La modernité de l'attitude de l'artiste peut aussi se mesurer à la manière qu'il eut de valoriser, au-delà de l'étude d'après la nature ou le modèle vivant, les secrets techniques des maîtres du passé. Dans sa propension à l'expérimentation, le métier, la « cuisine » du peintre commençait à acquérir une dimension presque égale à celle de l'invention. En ce sens, Rubens, si bien représenté au Louvre, ne pouvait que constituer la référence absolue. À la différence de Michel-Ange, dont Delacroix ne connaissait *de visu* que quelques sculptures et qui ne pouvait lui servir que pour la force de l'invention, l'artiste flamand représentait pour lui l'essence de la peinture. Emporté par son admiration pour son illustre prédécesseur, il finit par découvrir ses deux grands secrets : la science des carnations et celle des reflets[173], domaines par excellence de la couleur dans ce qu'elle a de plus changeant. Thoré raconte comment la révélation du rendu des chairs lui vint, au début des années 1820, de l'étude de Rubens : « Jusque-là Delacroix avait suivi la manière crayeuse de Champmartin, qui passait pour le révolutionnaire de l'école. Un soir, oubliant Champmartin et songeant à Rubens et à Rembrandt qu'il pratiquait le jour au Louvre, Delacroix remarque sur le modèle qui pose, des plans et des tons qu'il n'avait encore jamais vus : il brosse d'emblée sa figure, la termine en deux séances, l'emporte chez lui et déclare à ses amis qu'il sait peindre – depuis la veille[174]. » L'exécution des damnés, les contrastes des carnations doivent donc probablement beaucoup au maître anversois. Il y a comme une contradiction entre le malheureux renversé à gauche de la composition, dont le corps est traité dans une matière très personnelle, heurtée et nerveuse, où commencent à se deviner les petites touches tapotées si caractéristiques, et le couple luttant, plus proche de Rubens, où le mouvement du pinceau est plus large, les passages moins abruptement négociés, l'effet plus moelleux (la poitrine de la femme). De toute évidence, le jeune artiste cherchait, avec difficulté, à retrouver la manière qu'avait le peintre d'Anvers de faire jaillir la lumière à partir des chairs.

La science des reflets a été considérée, depuis longtemps et de façon un peu trop exclusive, comme la dette principale de Delacroix envers Rubens au début des années 1820. Andrieu exagérait en y voyant les prémisses du mélange optique. « Delacroix se sentit fort embarrassé pour rendre en toute vérité naturelle les gouttes d'eau qui découlent des figures nues et renversées. Ces gouttes d'eau le firent chercher. Le souvenir des sirènes de Rubens, dans *le Débarquement de Marie de Médicis à Marseille*, et l'étude des gradations de l'arc-en-ciel, ce fut là son point de départ[175]. » Contrairement à ce que nombre de commentateurs à sa suite écrivirent, l'examen de ces gouttes d'eau ne permet pas d'y déceler un premier essai de l'utilisation « scientifique » des couleurs complémentaires. Le disciple, qui s'exprimait au moment de l'impressionnisme, cherchait à montrer le caractère révolutionnaire du maître dès ce premier essai au Salon. Si l'idée des gradations de l'arc-en-ciel doit donc être, à ce moment-là, définitivement écartée, en revanche, la référence à Rubens se révéla capitale. Du maître d'Anvers, Delacroix retint ce qui allait devenir l'une de ses préoccupations majeures : la recherche d'une division rationnelle de la forme dans ses composantes colorées, indépendamment de tout clair-obscur. Pour rendre les gouttes d'eau sur le corps de ses Néréides, Rubens, avec une éblouissante économie de moyens, se contentait de quelques touches de couleur. Pour le ton local, il utilisa la chair des sirènes, réservée à cet endroit, qu'il circonscrivit d'un petit ovale blanc formant la goutte. Afin d'exprimer l'éclat de l'eau, il accro-

172. Delacroix, *Œuvres littéraires*, vol. II, p. 164.
173. Sur le cycle de Marie de Médicis, voir Foucart et Thuillier, 1969.
174. Cité par Johnson, 1981-1993, vol. I, p. 5.
175. Bruyas, 1876, p. 361.

Fig. 91 [cat. 16]
Eugène Delacroix, *Torse de sirène* d'après *le Débarquement de Marie de Médicis* de Rubens.
Bâle, Kunstmuseum

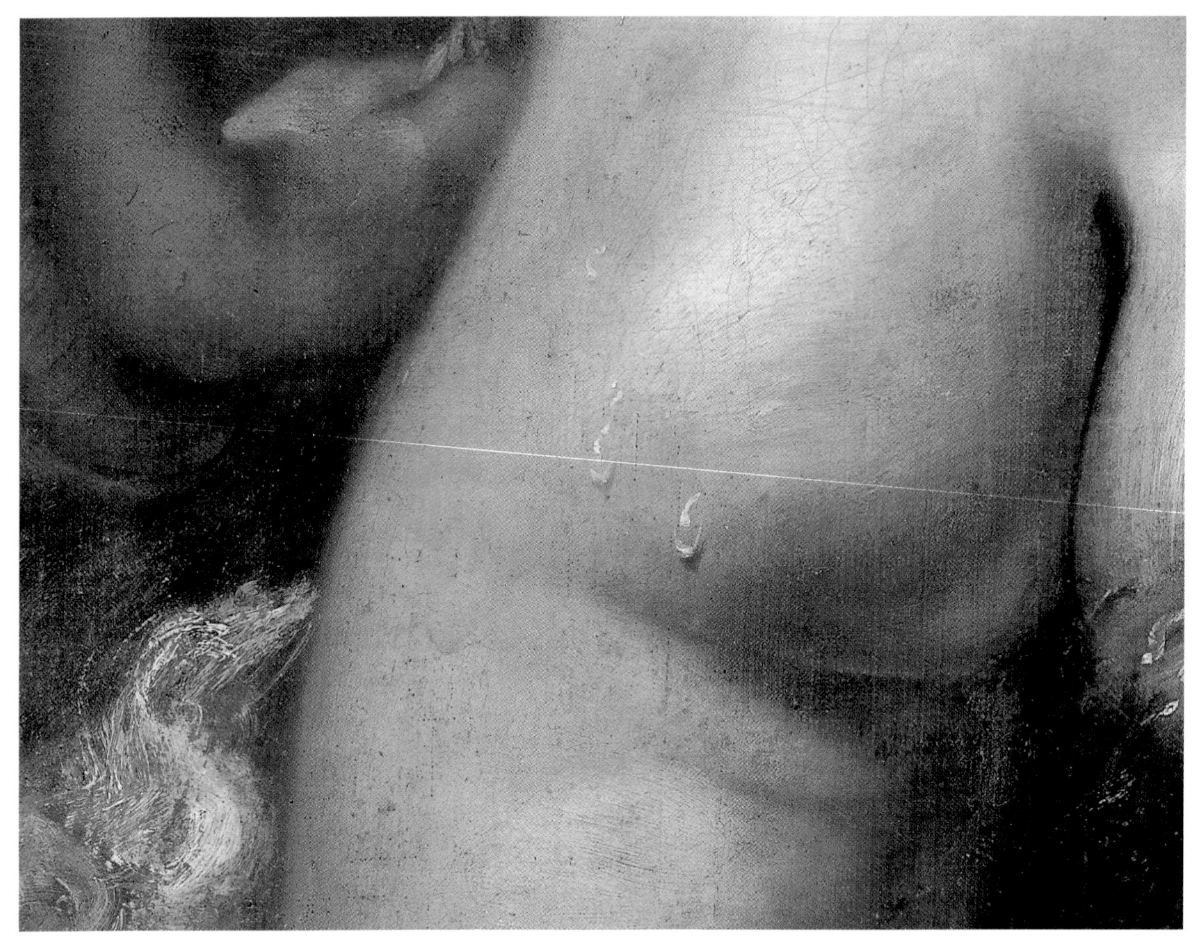

Fig. 92
Pierre Paul Rubens, *le Débarquement de Marie de Médicis à Marseille*, détail des gouttes d'eau sur le corps des sirènes
Paris, musée du Louvre, département des Peintures, RF 1774

cha, vers le centre, un blanc plus froid. Pour que l'impression fût parfaite, l'ombre portée se composait d'un accent orangé légèrement plus sombre que le ton de la chair *(fig. 92)*. Du blanc et de l'orangé lui suffisaient. Delacroix comprit tout le parti qu'il y avait à tirer de ce pouvoir de la couleur, mais l'expérimentation constituant chez lui une réelle méthode de travail, il compliqua considérablement la géniale façon de procéder de son modèle. Pour les gouttes sur le corps des damnés, la lumière est rendue par un blanc brillant, la demi-teinte par un vert. Le reflet est exprimé par un coup de pinceau jaunâtre et l'ombre portée par un rouge *(fig. 93)*. Là ou Rubens, d'un geste hardi et sûr, n'utilisait que du blanc et un orangé, Delacroix recourait à quatre couleurs. Il évitait le noir de l'ombre et enrichissait l'intensité colorée de son œuvre. Delacroix n'a donc pas copié les gouttes d'eau des Néréides du *Débarquement de Marie de Médicis*, il a compris l'importance des reflets pour animer le coloris et profondément réinterprété le détail de Rubens. D'une certaine manière, cette interprétation finit presque par contredire l'esprit de son modèle. Ce qui chez le Flamand soulignait l'extraordinaire économie de moyens d'un décorateur génial, mais n'était qu'un détail, prenait, chez un jeune artiste avide de faire montre de ses qualités de

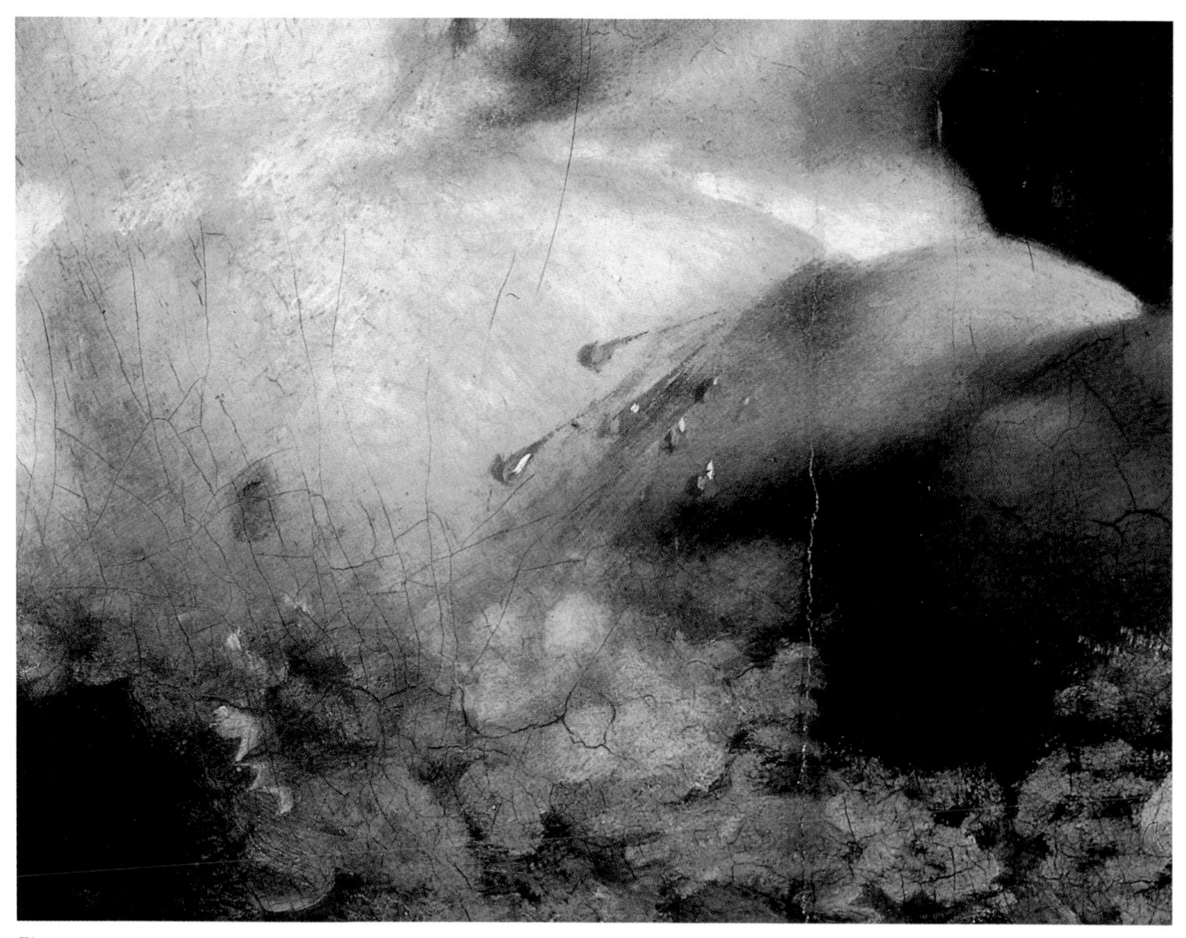

Fig. 93
Eugène Delacroix, *Dante et Virgile aux Enfers*, détail des gouttes d'eau sur le corps des damnés
Paris, musée du Louvre, département des Peintures, RF 3820

peintre, presque valeur de manifeste, avec tout ce que cela supposait de démonstratif. Delacroix, en 1822, ne percevait pas encore pleinement les implications de cette découverte capitale, mais *Dante et Virgile aux Enfers* marquait bien une étape fondamentale dans l'invention et l'utilisation de la complémentarité des couleurs. Andrieu a donc raison de souligner que « ce fut là son point de départ », mais il faut dissocier chronologiquement les recherches inspirées par Rubens de celles, plus tardives, liées au spectre de l'arc-en-ciel.

Enfin, l'influence de Rubens sur le jeune homme se ressent, plus fondamentalement encore, dans la manière qu'il eut d'animer sa composition par une violente tache de rouge, le chaperon de Dante, et la manière avec laquelle il éclaira cette nuit infernale. Delacroix, comme le Flamand dans *la Naissance* ou dans *l'Éducation de Marie*, refusa de plonger son tableau dans l'obscurité ; il joua d'éclairages mouvants, qui viennent souligner les formes au lieu de les estomper. Il disposa ses figures en frise selon un procédé traditionnel dans la peinture néoclassique, mais, sans ménager une zone de transition entre l'espace du spectateur et celui de la représentation, il les projeta brutalement au premier plan. Non seulement il créait un effet de surprise, mais aussi évitait que la pénombre n'abolît le jeu coloré. L'exemple de Rubens lui permit donc d'échapper au clair-obscur d'inspiration caravagesque comme on pouvait encore le trouver dans *les Pestiférés de Jaffa*, *le Radeau de la Méduse* ou *la Vierge du Sacré-Cœur*. Les accents colorés, parfois violents comme le rouge, n'étaient plus conçus comme des taches, qui auraient pu déséquilibrer la composition, mais comme des sources lumineuses chargées d'intensité dramatique. Pour accentuer le rayonnement des personnages principaux, l'artiste estompa les contours au niveau supérieur des têtes et de la barque, créant comme un halo au milieu des nuées verdâtres[176]. On comprend alors mieux la remarque de Landon : « Vu d'assez loin pour que la touche n'en soit pas apparente [...], ce tableau produit [...] un effet remarquable. » La couleur, chargée de l'intensité dramatique, porte la lumière; le noir est à bannir. L'expérience des gouttes d'eau sur les Néréides de Rubens ne révélait pas autre chose. À l'échelle du tableau cependant, comme à celle du détail, Delacroix, fort du secret que lui livrait le maître d'Anvers, le réinterprétait à sa manière. Le caractère fortement animé du cycle du Luxembourg résultait en fait d'une utilisation très mesurée de la couleur. Rubens, dans cet ensemble, manifestait une prédilection particulière pour le gris, réchauffé à des endroits précis par des taches plus colorées, le plus souvent des rouges. Son langage, parfaitement adapté au parti décoratif, était ferme, vigoureux, dénué d'affectation et s'appuyait sur une gamme réduite. Delacroix au contraire chercha à exalter la richesse et l'intensité du coloris. Sa gamme s'élargit considérablement, non seulement par rapport à ses œuvres antérieures, mais aussi par rapport à la moyenne des productions contemporaines. De plus, la touche visible, la peinture « maçonnée » qui choquait Landon – « Vu d'assez loin pour que la touche n'en soit pas apparente » – et qui devait tant à Rubens et aux Vénitiens, rompaient avec la manière qu'avaient alors les artistes de traiter la couleur par grands aplats.

Dans *Dante et Virgile aux Enfers*, l'organisation chromatique sous-tend, avec un art déjà remarquablement maîtrisé, l'intensité lumineuse de cette nuit éclatante. Le rouge du chaperon, que rappellent, plus discrètement, les yeux du damné de face, les accents sur les mains de celui mordant la barque et quelques flammes de Dité, donne à l'ensemble toute son intensité; sans ce détail, le tableau tomberait dans le gris verdâtre, ce que sentit confusément Landon – « Ce tableau dont la couleur tombe un peu dans le gris ». Le rouge se détache sur le vert de la robe de Dante, qui contraste avec le bleu profond des manches. Un accord aussi audacieux qu'inédit entre le vert du manteau du Florentin et le brun-orangé du drapé de Virgile permet d'individualiser parfaitement les deux figures. Quatre taches d'un blanc pur, disposées en triangle, viennent à la fois mettre en valeur les éléments humains de la représentation, les visages des deux poètes et les mains, et réveiller violemment ce que la gamme chromatique, composée largement de verts et de bruns, pourrait avoir de trop étouffé. D'une certaine manière, le blanc est ici utilisé comme une couleur, mais avec parcimonie : « La touche de linge blanc qu'on aperçoit sur le manteau de Virgile dans la *barque de Dante* [...] est un réveil terrible au milieu du sombre; elle brille comme un éclair qui sillonne la tempête », écrivait Charles Blanc en 1866. Dès ce premier chef-d'œuvre, Delacroix manifestait une prédilection particulière pour les ambiances « aquatiques » glauques, au sens étymologique du terme, qui rappellent irrésistiblement *le Radeau de la Méduse* et ses esquisses *(fig. 95)*. Cependant, là où Géricault, à des fins dramatiques, étouffait ses verts sous des ombres oppressantes, Delacroix, au contraire, les ranimait par d'importantes plages colorées. Même si, dans le détail, il faisait preuve d'une virtuosité dans le traitement de la couleur (les innombrables valeurs du vert dans le manteau de Dante ou de bruns dans celui de Virgile), l'artiste travaillait encore par grandes masses énergiquement disposées. On mesure alors les progrès accomplis jusqu'aux *Massacres de Scio*, où l'organisation chromatique de la toile, beaucoup plus morcelée, révèle un pinceau plus subtil et sûr de lui. Pour l'heure, ces masses à la fois colorées et lumineuses se détachent sur un fond bouché, qui exprime le caractère angoissant de la scène. L'œil du spectateur, arrêté par la barrière des nuées infernales, n'entre plus, suivant un étagement progressif des plans, dans l'espace de la représentation; il est brutalement confronté à la présence des figures fortement éclairées et colorées. Présentées en frise, elles constituent un plan intermédiaire parallèle à la surface du tableau, sans chercher à faire irruption dans l'espace du spectateur. La tache

176. Les examens de laboratoire ont montré que ce halo était bien original et ne relevait pas d'usures.

Fig. 95 [cat. 12]
Théodore Géricault, esquisse pour *le Radeau de la Méduse*.
Paris, musée du Louvre, département des Peintures, RF 1667

rougeoyante formée par la ville de Dité, capitale dans l'économie générale du tableau, permet alors à la composition de respirer et exprime la profondeur, sans laquelle la toile, complètement plate, ressemblerait à une monumentale vignette. En 1822, cette manière originale de construire l'espace n'était peut-être pas complètement maîtrisée. Elle devait en partie répondre à l'urgence avec laquelle l'artiste travailla et il n'en exploita pas toutes les ressources expressives. Huit ans plus tard, il la réutilisa de façon plus consciente et dramatique. Après le beau paysage des *Massacres de Scio*, après la grande diagonale du lit de *Sardanapale*, Delacroix revint, avec *la Liberté guidant le peuple* (*fig.* 25), à un format plus modeste et à une composition pyramidale qui ne n'est pas sans rapport avec *Dante et Virgile aux Enfers* : des cadavres au premier plan au-dessus desquels s'agitent les protagonistes principaux, un ton général, bien plus clair cependant, sur lequel se détachent quelques masses colorées, bleues, blanches et rouges évidemment, et surtout ce même fond bouché, par les nuées des combats cette fois-ci, troué par une vue sur les tours de Notre-Dame, sœurs des tours de la ville infernale. Cependant, fort de l'expérience de la *Grèce pleurant sur les ruines de Missolonghi*, il rejeta la disposition en frise de *Dante et Virgile* et disposa frontalement ses personnages. Désormais, les figures, animées de mouvements véhéments, semblaient faire irruption dans l'espace du spectateur. Ce mode de composition qui renonçait à l'étagement traditionnel des plans, encore timidement utilisé dans le tableau de 1822, trouvait, en 1830, son expression la plus dynamique et la plus signifiante. La Liberté était vraiment en marche.

« Ce Caron, je l'ai fait d'après le torse antique »

Delacroix réinterpréta l'antique à la lumière de Michel-Ange et de Rubens. À droite de sa toile, afin d'équilibrer sa composition, il plaça Phlégyas *(fig. 98)*. Ce roi de Béotie, qui après avoir mis le feu au temple de Delphes, fut condamné au Tartare par Apollon, est chargé, au chant VIII de *l'Enfer*, de conduire Dante et Virgile jusqu'à la ville infernale de Dité. Personnage agissant, nominalement cité dans la notice du livret de Salon, il fait bien figure de protagoniste de l'action. Comme les deux poètes, il se trouve sur la barque qu'il conduit – aussi est-il souvent confondu même par les observateurs les plus avertis avec Charon, le nocher des Enfers. À la différence des damnés, il n'est pas complètement nu; un drapé bleu le recouvre partiellement. Pourtant, Delacroix, en réduisant la narration dantesque à sa plus simple expression, en éliminant Argenti, en opérant une mutation radicale de signification de l'épisode, vida ce personnage, image de la colère, de sa substance symbolique; il restait cependant nécessaire à la cohérence de la représentation : la barque ne pouvait se diriger toute seule. Aussi l'artiste, au regard des nombreux dessins le concernant et en dépit de la rapidité avec laquelle la figure semble avoir été brossée directement sur la toile, sembla-t-il éprouver quelques difficultés à trouver une solution satisfaisante. Il songea tout d'abord à le placer de profil debout à la proue du bateau, qu'il aurait manœuvré à l'aide d'une rame tenue verticalement *(fig. 17)*. La position devait beaucoup au fameux *Saint Michel* de Raphaël, que le peintre utilisera bien plus tard à la chapelle des Anges de Saint-Sulpice[177]. Il n'est pas impossible non plus que l'œuvre de John Singleton Copley, *Watson et le requin (fig. 96)*, célèbre peinture d'histoire exaltant un héroïsme moderne[178], l'ait, dans un premier temps, inspiré : l'un des acteurs de la scène brandit un harpon à la manière du saint Michel, comme sur les esquisses au crayon RF 6161 *(fig. 17)*; de

Fig. 97
Pierre Subleyras, *Caron passant les Ombres*
Huile sur toile, H. 1,35; L. 0,83 m.
Paris, musée du Louvre, département des Peintures, RF 8007

Fig. 96
John Singleton Copley, *Watson et le requin*. 1778.
Huile sur toile, H. 1,82; L. 2,29 m
Washington, National Gallery of Art

177. Lichtenstein, 1979.
178. Sur *Watson et le requin*, voir Busch, 1993, et, sur son influence en France, Noon, 2003.

Fig. 98
Eugène Delacroix, *Dante et Virgile aux Enfers*, détail du dos de Phlégyas
Paris, musée du Louvre, département des Peintures, RF 3820

plus, le malheureux, nu dans l'eau, le bras tendu n'est pas sans rappeler le damné renversé de *Dante et Virgile*. Les gravures circulaient et Delacroix, qui visiblement se tenait déjà informé des dernières productions de la peinture anglo-saxonne, pouvait en avoir vu chez ses amis anglais, les Fielding, ou chez Géricault. Si les grands modèles, Michel-Ange, Rubens, Raphaël, Gros, jouèrent un rôle fondamental dans l'élaboration de sa manière personnelle, le jeune homme n'hésitait pas non plus à emprunter des motifs à des sources plus inattendues : Copley, Flaxman ou West. L'étude en partie aquarellée RF 6161 *(fig. 17)* rend compte de ces différentes recherches et surtout met clairement en évidence le fait que la position de Phlégyas était entièrement tributaire de son rapport avec les deux autres protagonistes. Delacroix cherchait, avec ce personnage, à rendre mouvement et énergie, à donner une impulsion à la scène, mais il lui fallait surtout éviter que le nocher ne déséquilibre la composition ou qu'il n'apparaisse, comme dans le tableau de Copley, comme le héros principal. Aussi eut-il l'idée de le présenter de dos[179].

En privant son personnage de tête, Delacroix refusait au spectateur toute possibilité d'identification et l'excluait du statut de héros. En ne lui attribuant pas non plus un visage dénué de caractère, il le distinguait des damnés. Phlégyas s'inscrit donc bien dans une hiérarchie signifiante qui le place à mi-chemin entre les poètes et les malheureux coupables. Formellement, cette trouvaille permettait à Delacroix de sacrifier au culte du beau morceau et de faire montre de ses qualités de peintre. La représentation d'une académie masculine de dos, souvent inspirée de l'antique, constituait l'un des exercices de la formation de l'artiste classique, comme le prouve le *Patrocle* de David. Lorsqu'il s'agissait de fournir un argument à ce type d'étude, il n'était pas rare qu'elle fût associée à l'idée de la mort, du voyage dans l'au-delà. Subleyras, avec son *Caron passant les Ombres (fig. 101)*, en avait donné, au siècle précédent, un merveilleux exemple. Delacroix ne le connaissait probablement pas, mais, dans les deux cas, la pose, presque identique – un genou appuyé sur un support, relevant du répertoire habituel des modèles professionnels – était transcendée par la dimension poétique de l'interprétation, plus élégante d'un côté, plus énergique de l'autre. Enfin, Delacroix tirait les conséquences de l'usage que fit Géricault d'un personnage de dos. Ce dernier, dans un génial retournement, avait montré toutes les possibilités expressives et symboliques de cette « antifigure ». Peut-être était-il influencé par David qui, dans *la Mort de Socrate* avait déjà fait porter, en partie, le poids du drame sur les épaules du serviteur chargé, malgré lui, d'apporter le poison. Dans *le Radeau de la Méduse*, toute la composition tend vers un dos qui se redresse, noir qui plus est *(fig. 99)* ; il exprime, de la façon la plus saisissante, l'espoir entrevu au loin : le sauvetage, le retour à l'humanité et l'abolition de l'esclavage. Delacroix, en isolant sa figure, la chargea d'une signification bien différente. Replié sur lui-même dans un mouvement d'une intensité extrême, ce dos exprime, pour reprendre l'expression de Michaël Fried[180], « l'absorbement » total dans une activité : Phlégyas s'oublie dans son rôle de passeur. Son identité se résume tout entière à sa fonction : il est privé de l'épaisseur psychologique ou humaine des poètes, mais son énergie est positive, puisqu'elle permet à la barque de se mouvoir. La figure du nautonier répond, dans l'autre sens, au geste de frayeur de Dante : le poète florentin bascule légèrement vers l'avant et la droite de la composition, Phlégyas vers l'arrière et la gauche ; le rapport entre les deux figures est naturellement renforcé par l'utilisation de la couleur : l'étonnant drapé d'un bleu intense qui recouvre le bassin du nocher fait écho au bleu des manches du manteau de Dante. Virgile, dans son imperturbable raideur, constitue l'axe autour duquel la barque pivote. Le groupe principal acquiert une unité formelle, géométrique et chromatique, et le jeune Delacroix réussit, avec virtuosité, non seulement à donner une cohérence et à hiérarchiser, sans confusion, ses trois figures, mais aussi à exprimer à la fois l'idée de mouvement et de temps.

Travaillé partiellement d'après le modèle vivant, ce buste s'inspirait, comme le confirme Andrieu, de l'antique *Torse du Belvédère*. Delacroix en avait déjà copié un moulage dans l'un de ses carnets *(fig. 8)*, mais il avait accompagné son dessin d'un poème nostalgique évoquant le passage du temps. Le célèbre antique n'y était plus seulement saisi comme référence ou comme allégorie de la sculpture, mais comme trace ; l'exercice académique s'enrichissait soudain d'une émotion, reflet de la conscience

179. Sur le dos dans la peinture et au théâtre, voir Banu, 2001.

180. Fried, 1988.

Fig. 99 [cat. 13]
Théodore Géricault, *Étude d'après le modèle noir Joseph pour* le Radeau de la Méduse
Montauban, musée Ingres, D. 55.4.1 ; dépôt du département des Peintures du musée du Louvre en 1955, RF 580

historique du peintre et justifiant le fragment. Sur la toile, bien que la sculpture du Vatican fût réinterprétée en tant que figure, Delacroix tint, malgré tout, à en conserver l'aspect fragmentaire. S'il dota son Phlégyas de jambes et d'une tête à peine visible, le somptueux drapé bleu, décrivant un arc de cercle, coupait le buste à l'endroit même où le *Torse du Belvédère* se finissait, exaltant la puissance de la source d'inspiration. L'artiste interpréta à sa manière l'antique. Contrairement à l'habitude, il ne s'inspira pas du torse vu de face ou de trois quarts, mais de dos. Ce

Fig. 100
Auguste Rodin, *Torse d'Ugolin assis*, vers 1876
Photographie d'E. Freuler. Papier albuminé, H. 0,14; L. 0,10 m. Paris, musée Rodin

Fig. 101
Auguste Rodin, *Torse d'Ugolin assis*, vers 1876
Photographie d'E. Freuler. Papier albuminé, H. 0,14; L. 0,10 m. Paris, musée Rodin

n'est donc pas tant le mouvement des muscles qu'il recherchait que l'effet de masse et d'unité. La force brute de la sculpture devait rendre l'énergie déployée par le nocher pour mettre en branle la lourde embarcation. De même qu'il avait travaillé la leçon de Rubens en la compliquant et avait en quelque sorte surhéroïsé ses nus, il chercha à augmenter l'impression de force émanant de son modèle. À la puissance naturelle d'une musculature imposante, Delacroix tenta d'ajouter l'expression de l'effort extraordinaire. Aussi rompit-il l'équilibre de

Fig. 102 **[cat. 50]**
Auguste Rodin, *Torse d'Ugolin assis*
Plâtre. Meudon, musée Rodin

Fig. 103
Auguste Rodin, *Torse d'Adèle*, vers 1882
Terre cuite, H. 0,105; L. 0,37; P. 0,16 m
Paris, musée Rodin

l'antique en animant son personnage d'un mouvement vers la gauche, auquel venait s'opposer la saillie de l'omoplate. Le peintre travailla alors son matériau quasiment en sculpteur[181]. Il traça un profond sillon en guise de colonne vertébrale et fit jaillir les muscles, animant la surface de la peau d'une multitude de vibrations. Avec la figure de Phlégyas, réduite à un dos, Delacroix avait porté à un degré encore inégalé l'utilisation du corps comme vecteur exclusif de l'expression. Rares furent, avant Rodin, les artistes, peintres ou sculpteurs, qui s'engagèrent dans cette voie.

Il y aurait aujourd'hui presque un paradoxe à vouloir considérer Auguste Rodin comme un successeur de Delacroix. L'utilisation nouvelle que fit le peintre de la couleur ne doit pas occulter ses recherches, inspirées par Michel-Ange, autour du pouvoir expressif du corps humain. Rodin, dans une œuvre de ses débuts, antérieure à la commande de la *Porte de l'enfer*, semble s'être souvenu de la manière dont Delacroix réinterpréta le *Torse du Belvédère* et la référence à Michel-Ange. Vers 1877, il réalisa un *Ugolin accroupi*, aujourd'hui détruit, mais connu par des photographies de Freuler *(fig. 100, 101)* et par un plâtre exécuté vers 1899 et exposé au pavillon de l'Alma en 1900[182] *(fig. 102)*. Le sculpteur, par son sujet dantesque, se rattachait à la tradition romantique qu'avait inaugurée brillamment Delacroix et, plus récemment, entretenue Carpeaux. Le dos de sa sculpture, fragment d'un groupe plus important, privé de tête et de bras par accident, rappelle irrésistiblement celui de

181. La manière même dont il rendit compte dans son carnet de l'antique du Vatican, notamment par la disposition de trois quarts et l'attention sur les ombres, laissait entrevoir sa sensibilité à cette technique, qu'il semble d'ailleurs avoir pratiquée.
182. Sur cette œuvre, voir Le Normand-Romain, 2001.

Phlégyas. On y retrouve la même référence au *Torse du Belvédère*, la même exagération du sillon de la colonne vertébrale qui dessine deux grandes masses animées, le même basculement. Cependant, le traitement plus « réaliste » des muscles souligne plutôt le poids de la souffrance que l'énergie de l'action, tandis que les aspérités du plâtre, admirablement rendues par la photographie, expriment la densité de la chair à la manière des touches du peintre. Dans le plâtre présenté à l'exposition de l'Alma, qui n'est pas un fragment, mais une œuvre achevée s'imposant par son seul pouvoir d'expression, Rodin a encore accentué l'affaissement du buste : la figure, privée de tête et travaillée par la faim et la tentation du cannibalisme infanticide, semble se tordre de douleur. Il y aurait comme une filiation du dos de Phlégyas à ceux des Ugolins de Rodin; à partir de la même source, le *Torse du Belvédère*, la puissance d'évocation du corps sculpté ou peint est porté jusqu'aux limites de l'expression. La moindre vibration, la plus subtile variation, un sillon plus accentué, un affaissement plus prononcé, une omoplate plus saillante – et l'impression se transforme radicalement : ce qui était énergie de l'action devient accablement et l'accablement, désespoir. Ne s'agit-il là que de coïncidences, de recherches parallèles mais indépendantes ou Rodin a-t-il regardé Delacroix ? Le grand sculpteur, qui manifestait une réelle admiration pour le peintre[183], s'étant peu exprimé, la réponse est difficile. Certains contemporains, en revanche, firent le rapprochement entre les deux artistes : « M. Rodin a sculpté des femmes de formes tourmentées; l'artiste, dont on dit grand bien, semble poursuivi par le souvenir des croquis de Delacroix », écrivait, en 1883, Gustave Geoffroy dans *la Justice*[184]. D'autre part, Rodin, grand admirateur de *la Divine Comédie*, ne pouvait pas méconnaître *Dante et Virgile*, qui occupait une bonne place au musée. Enfin, examinées sous cet angle, nombre de ses sculptures rappellent certaines peintures de jeunesse de Delacroix, celles où il travailla particulièrement l'expression du nu. Comment ne pas retrouver dans la cambrure du *Torse d'Adèle (fig. 103)* qui souligne la volupté de formes, la femme attachée au cheval du Turc dans les *Massacres de Scio (fig. 104)* ? La pose allongée, le bras tendu du monument définitif à Victor Hugo

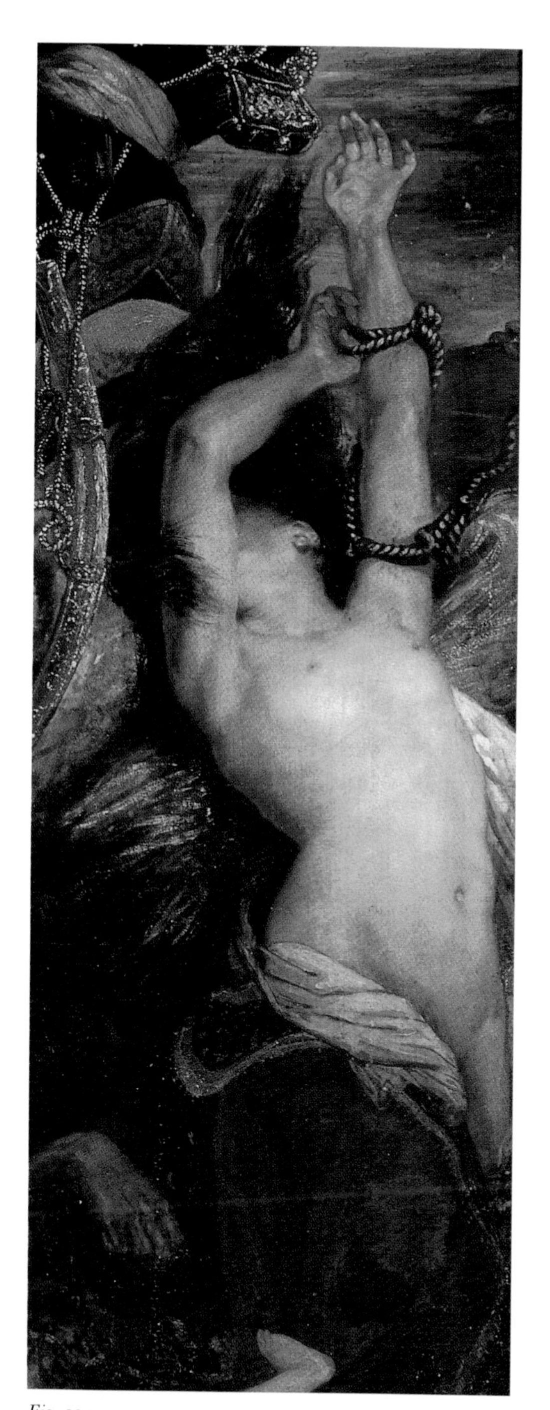

Fig. 104
Eugène Delacroix, *Scènes des massacres de Scio*. détail
Paris, musée du Louvre, département des Peintures, RF 3823

183. Rodin, 1911, p. 85.

184. Cité dans Butler, 1998, p. 114.

Fig. 105
Auguste Rodin, *Monument à Victor Hugo,* premier projet, quatrième maquette
Plâtre, H. 1,04; L. 1,34; Pr. 0,82 m. Meudon, musée Rodin

(fig. 105) ne semble-t-il pas s'inspirer du *Christ au jardin des Oliviers* du Salon de 1827 *(fig. 105)*, tandis que le bras droit du poète écoutant l'inspiration est comme un lointain écho de la pose mélancolique du *Michel-Ange dans son atelier (fig. 107)* ? Dans le second projet pour ce monument *(fig. 108)*, les trois sirènes ne sont-elles pas redevables au groupe des anges du *Christ au jardin de Oliviers*[185] ? L'abondance de ces correspondances devrait confirmer la valeur du rapport entre le dos de Phlégyas et les torses d'Ugolin. De Delacroix, Rodin retint cette manière de rendre le sentiments par la mobilité des muscles et l'idée de mouvement comme transition d'une attitude à une autre. Le damné renversé au premier plan de *Dante et Virgile aux Enfers (fig. 6)* trouve un écho admirable dans le fameux *Fugit Amor*[186] *(fig. 109)*. Le personnage masculin retrouve la grande extension du buste que Delacroix donna à sa figure, les vibrations des nerfs à la surface de la peau et le sentiment du passage de la résistance à l'anéantissement, de même que l'expression de détresse du malheureux, qui ouvre la bouche dans un dernier râle. Mais Rodin, qui de toute évidence étudia le

Fig. 107
Eugène Delacroix, *Michel-Ange dans son atelier*, 1849-1850
Huile sur toile, H. 0,40; L. 0,32 m.
Montpellier, musée Fabre

Fig. 106
Eugène Delacroix, *le Christ au jardin des Oliviers*, Salon de 1827
Huile sur toile, H. 2,94 ; L. 3,62 m.
Paris, église Saint-Paul-Saint-Louis

tableau de 1822, poussa plus loin l'intensité dramatique. Delacroix qui inscrivait malgré tout son nu dans la série des éphèbes alanguis et entendait montrer son habileté de peintre, ne pouvait encore se départir d'une certaine élégance : la position de la tête reposant sur l'épaule et le mouvement légèrement arrondi des bras adoucissait ce que son nu pouvait avoir de trop tendu. Au contraire, le sculpteur renversa violemment la tête de son malheureux en arrière et tendit, presque jusqu'à la rupture, ses bras : la violence de la chute, la détresse du personnage atteignaient au paroxysme. Avec *Dante et Virgile aux Enfers*, c'était bien la recherche d'une expression moderne, puissante et douloureuse, quelquefois imparfaite et dépassant les convenances, qui introduisait, dans l'art français, un univers poétique nouveau. L'hommage du sculpteur Rodin le soulignait. Désormais, il n'y aurait de laid que ce qui serait sans caractère.

185. Je remercie Antoinette Le Normand-Romain de m'avoir signalé ce rapprochement.

186. Sur le *Fugit Amor*, voir Le Normand-Romain, 2002.

Fig. 108
Auguste Rodin, *Monument à Victor Hugo* (second projet)
Plâtre, H. 1,70 ; L. 1,26 ; Pr. 1,39 m. Meudon, musée Rodin

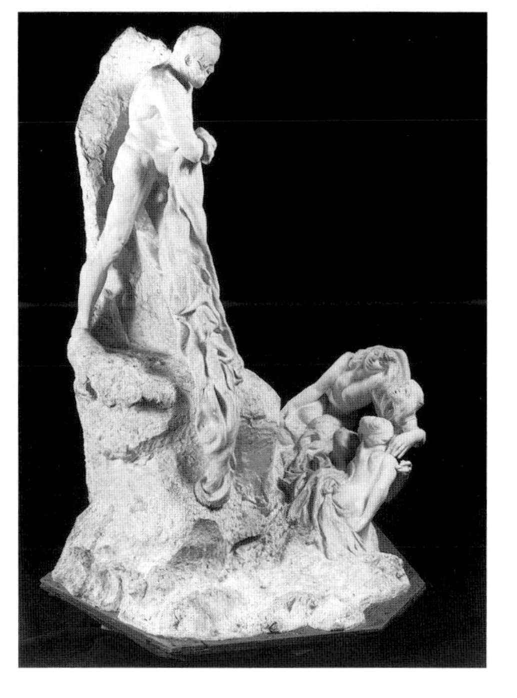

Fig. 109 **[cat. 51]**
Auguste Rodin, *Fugit Amor*
Plâtre. Meudon, musée Rodin

Conclusion

« J'ai reçu une lettre de Félix, dans laquelle il m'annonce que mon tableau a été mis au Luxembourg [...]. Cette idée quand elle me revient colore agréablement mes journées. » Le coup de fortune, qu'avec *Dante et Virgile aux Enfers* Delacroix tenta, se solda par une réussite dépassant ses ambitions. Le tableau, immédiatement acheté par la Maison du roi pour la somme honorable de deux mille francs, fut accroché, sur les ordres du comte de Forbin, au musée du Luxembourg. Il s'agissait bien là d'une première reconnaissance officielle; de tous les peintres qui exposèrent pour la première fois au Salon, Delacroix fut, avant 1827, le seul à voir son œuvre présentée dans ce panthéon des artistes vivants. La direction des musées fit preuve d'une perspicacité, voire d'une audace, qui ne se démentira pas à l'exposition suivante; malgré le scandale qui entoura les *Massacres de Scio*, le comte de Forbin, en effet, dépensa une énergie peu commune pour faire acquérir la toile par l'État[187]. D'une certaine manière et contre une imagerie traditionnellement véhiculée, pour ses premiers essais au Salon, Delacroix bénéficia du soutien de l'Administration. La critique, par ailleurs, ne demeura pas insensible à *Dante et Virgile aux Enfers*. Les commentateurs les plus influents, comme Delécluze, Landon ou Coupin, en rendirent compte, ce qui, pour un inconnu, constituait déjà une belle victoire. Tous en soulignèrent les qualités. Si Delécluze, le plus subtil, émit, en même temps, le jugement le plus acerbe, qualifiant la peinture de « tartouillade », c'est qu'il en sentait probablement les dangers pour le maintien des préceptes davidiens. À l'inverse, le vibrant hommage du jeune Thiers, alors à peu près aussi obscur que Delacroix, dans un puissant journal d'opposition, tout sincère qu'il pouvait être, n'était pas dénué d'intérêts personnels et politiques. Enfin, le compliment que le baron Gros, le peintre le plus célèbre du moment, lui adressa, « C'est du Rubens châtié », constitua pour l'artiste l'aboutissement suprême de ses efforts. Non seulement Delacroix s'était fait remarquer, ce qu'il désirait ardemment, mais il avait enfin réussi à se faire un nom, qui lui soit propre. Il trouvait sa vocation au sein d'une brillante famille et produisit une œuvre profondément personnelle.

La réussite de 1822 décida sûrement de son attitude dans les années qui suivirent. Il renonça alors définitivement à un *cursus honorum* classique qui aurait dû culminer avec l'obtention du prix de Rome; après bien des hésitations, il rejeta aussi la proposition de Gros, qu'il admirait, d'entrer dans son atelier. Il comprit, grâce à ce premier succès, les avantages de la confrontation avec le public dans le cadre d'une stratégie d'artiste d'exposition : la rapidité de la reconnaissance, la satisfaction narcissique, la nécessité de se confronter directement aux autres artistes et surtout la possibilité d'affirmer sa vision personnelle de l'art. Il ne tarda pas non plus à en percevoir le revers majeur : le caractère éphémère du succès et de la reconnaissance. Mais cet esprit inquiet, perpétuellement insatisfait, s'accommoda parfaitement de cet inconvénient, qui constitua même peut-être un stimulant. Il semble bien qu'aux deux Salons suivants, il n'eut de cesse de pousser plus loin les limites de son art, jusqu'au scandale absolu de 1827. En 1822, il eut l'idée d'un sujet contemporain à forte connotation politique, qu'il rejeta au profit d'un thème littéraire. La référence à Dante, toute moderne qu'elle était, servait de caution à ses hardiesses formelles; le peintre tempérait ses audaces. En 1824, fort de son premier succès, il fit avec les *Massacres de Scio* plus grand, plus lâché et plus politique, allumant la bataille du romantisme. En 1827, enfin, *Sardanapale* consacrait à une échelle proprement monumentale ce que l'on considérait déjà comme le « massacre de la peinture » : une orgie mortifère servait de sujet, la couleur explosait dans un fourmillement aussi sensuel qu'apparemment désordonné, la perspective faisait basculer le lit sur le spectateur... L'État, cette fois-ci, se garda bien d'acquérir le tableau. Delacroix avait mené à son comble les expérimentations ébauchées en 1822. Une époque s'achevait. De façon significative, au Salon suivant, avec *la Liberté guidant le peuple*, le maître en revint à un format et une composition plus proches de *Dante et Virgile aux Enfers*.

S'il peut être considéré comme une origine, le tableau du Salon de 1822 n'en sanctionna pas moins une évolution artistique. En quelques années, de 1819 à 1822, les progrès furent aussi rapides qu'étonnants. Delacroix avait enfin trouvé sinon sa manière, du moins le sens dans lequel il lui fallait s'orienter. Il se détachait de l'ascendant trop exclusif de Géricault. *Dante et Virgile aux Enfers* se voulait, par son sujet, par la référence à Michel-Ange, par le côté

187. Fraser, 1998.

morbide, par l'exaltation de nus musculeux, un hommage au *Radeau de la Méduse*, exposé au Salon précédent. En même temps, le sujet littéraire moderne, l'expressionnisme latent, la sauvagerie étalée au grand jour ouvraient sur un univers poétique nouveau, plus pessimiste. Par ailleurs, si l'influence de Michel-Ange, en partie médiatisée par l'exemple de Géricault, avait dominé jusqu'alors la maigre production de l'artiste, la découverte de Rubens lui ouvrait des horizons inattendus. Tout se passait comme si, peu à peu, le jeune homme construisait sa manière propre à partir d'une « stratification » des modèles. À chaque œuvre, la composition s'enrichissait et devenait plus complexe. La *Vierge des moissons* était presque un pastiche de Raphaël, mais l'Enfant Jésus se ressentait, dans sa monumentalité, de la *Madone de Bruges* de Michel-Ange. Dans la *Vierge du Sacré-Cœur*, la composition sur deux registres pouvait encore renvoyer à un schéma raphaélesque, mais la massivité des formes et l'intensité de la représentation évoquaient irrésistiblement Michel-Ange, revu par Géricault. Dans *Dante et Virgile aux Enfers*, le modèle michelangelesque était encore très présent, mais la touche virtuose et l'utilisation expressive de la couleur manifestaient l'influence déterminante de Rubens. À partir de la toile du Salon de 1822, l'ascendant du maître flamand ne cessera de se renforcer et de se préciser jusqu'à l'hommage suprême, et en même temps bien loin de l'économie de moyens du modèle, que constitua la symphonie des rouges du *Sardanapale*. D'une certaine manière, la leçon de Rubens libéra Delacroix de Géricault.

Avide de se présenter comme un vrai peintre d'histoire, Delacroix mit sur sa toile tout ce dont il était capable. Le sujet littéraire sombre et moderne, le caractère très démonstratif des nus, l'attention portée aux drapés et à la « couleur locale » devaient impressionner. En même temps, les références nombreuses, les sources d'inspiration plus ou moins explicites manifestaient non seulement sa culture visuelle, formée au musée Napoléon, mais aussi une attitude beaucoup plus libre par rapport aux modèles : l'antique et Raphaël n'avaient rien perdu de leur lustre, mais les références à Michel-Ange, pour la force de l'invention, et à Rubens, pour la puissance d'expression de la couleur, acquéraient une dimension inédite. Au-delà de Géricault, compagnon d'atelier, parmi les contemporains, Gros fascina le jeune homme, qui n'hésitait pas, par ailleurs, à emprunter des motifs aussi bien à Flaxman qu'à Benjamin West. Au fur et à mesure que son horizon visuel s'élargissait, la référence nouvelle était intégrée avec une originalité toujours plus grande. Delacroix découvrait sa manière de procéder. Parallèlement, les grands principes de la représentation néoclassique étaient réinterprétés, voire bouleversés : le destin individuel prenait le pas sur les émotions collectives; le héros, saisi dans un moment de faiblesse et accompagné d'un double, avait perdu de sa morgue et de son stoïcisme; la cruauté humaine s'étalait dans toute sa bestialité; les visages se crispaient jusqu'à la grimace, les gestes en devenaient absurdes, les damnés commençaient à s'entre-dévorer. S'il n'y avait cette solidarité reliant les deux poètes pour empêcher l'humanité de basculer définitivement dans la sauvagerie, le tableau offrirait déjà la vision d'un pessimisme désespérant des *Massacres de Scio*.

Bien sûr, l'œuvre ne recèle pas encore tous les trésors de virtuosité de *Sardanapale*; bien sûr, le peintre n'y a pas encore complètement trouvé sa manière et son métier se ressent quelque peu de son désir de bien faire, mais, pour paraphraser Henri Delaborde[188], *Dante et Virgile aux Enfers* introduisit, dans l'école française, l'esprit d'indépendance et d'aventure. L'expérimentation y était érigée en méthode; l'originalité, comprise comme expression de l'individualité de l'artiste, pouvait désormais être reconnue comme sa qualité principale. « Les horizons n'ont pas besoin d'être grands pour que les batailles soient importantes », écrivait Baudelaire dans son *Salon de 1846*, « les événements les plus curieux se passent sous le ciel du crâne, dans le laboratoire étroit et mystérieux du cerveau ».

188. Delaborde et Goddé, 1858, t. I, p. 4.

Fig. 110 [cat. 2]
Anonyme, vers 1820, *Portrait de Delacroix*
Rouen, musée des Beaux-Arts

Étude au laboratoire du Centre de recherche et de restauration des Musées de France du tableau *Dante et Virgile aux enfers* d'Eugène Delacroix

Christine Benoit, Élisabeth Ravaud, Elsa Lambert

Introduction

L'étude au laboratoire porte sur l'aspect matériel de l'œuvre. Des examens non invasifs – c'est-à-dire sans que des prélèvements soient effectués – ont été réalisés. L'étude s'est concentrée sur l'observation minutieuse de l'œuvre à la lumière de différents examens, afin de pouvoir apporter des précisions sur les thèmes suivants : les étapes de conception et de réalisation du tableau et leur chronologie, l'étude de son état de conservation, en particulier des gerçures apparues précocement et des repeints les plus anciens.

Une radiographie complète du tableau a été réalisée. Cette technique d'imagerie par transmission, dérivée de la radiographie médicale mais à moindre énergie, permet de visualiser l'ensemble des éléments constitutifs, de la surface de la toile à son support. On peut ainsi appréhender des étapes de la création du tableau qui ne sont plus visibles, comme les repentirs de l'artiste. L'ensemble du dossier de photographies scientifiques a été interprété et confronté à l'observation du tableau, ainsi qu'à son examen sous loupe binoculaire. La loupe binoculaire donne une image grossie de la matière picturale, de ses défauts, tels que des craquelures, qui peuvent être documentés par des macrophotographies.

Les étapes de la création

Toiles, châssis et préparation. L'œuvre est peinte sur un support de toile constitué de plusieurs parties. La pièce principale, de 141 cm de hauteur et 231,5 cm de largeur, est agrandie en bas sur 46 cm de hauteur par trois morceaux de largeurs différentes, respectivement de 83,5 cm, 87,5 cm et 71,5 cm, de gauche à droite. Toutes ces pièces

Illustration 1 : le support, montage des pièces et agrandissement. Paris, laboratoire du Centre de recherche et de restauration des Musées de France

ont une même densité de tissage, 13 x 15 fils par centimètre carré. On retrouve ce type de toile dans d'autres tableaux de l'époque[1]. Les pièces sont assemblées par des coutures au surjet qui ont été en grande partie arasées lors d'un rentoilage ancien, antérieur à 1932. L'assemblage des pièces du support est indiqué en traits pleins sur l'illustration 1.

Des guirlandes de tension sont présentes sur les quatre côtés et témoignent de l'intégrité du format initial. Tou-

1. Nous avons trouvé une toile similaire comme support des *Costumes souliotes*, musée du Louvre, MNR 143, daté de 1822, et des *Massacres de Scio*, musée du Louvre, RF 3823, daté 1823-1824. En revanche, une étude pour *Tête de vieille femme*, musée des Beaux-Arts d'Orléans n° 96.2.1, daté vers 1824, fait ressortir que ce tableau est peint sur une toile de plus faible densité 8 x 12 fils par cm².

tefois, on observe sur la radiographie, une bande de 5 cm de large le long du bord gauche et une autre de 8 cm le long du bord inférieur, comportant des traces de clous et des mastics plus denses. Cela suggère que le format du tableau a été légèrement agrandi en cours d'exécution par dépliage de ces deux bords. Cet agrandissement est représenté en pointillés sur l'illustration 1.

La préparation du tableau, de couleur claire, varie du beige au gris comme dans *la Liberté guidant le peuple*, daté de 1830[2].

Illustration 2 : principales modifications de composition.
Paris, laboratoire du Centre de recherche et de restauration des Musées de France

Élaboration de la composition. La confrontation de la radiographie, de l'étude sous loupe binoculaire et des dessins préparatoires de la composition permet de préciser les différentes étapes d'exécution de la phase peinte. Des modifications de composition ont été relevées et sont résumées sur l'illustration 2.

Dans un premier temps, Delacroix semble avoir peint une ébauche comprenant les personnages de Dante et Virgile, et la barque sur un fond sombre constitué par le ciel et l'eau. Le contour de l'embarcation est en effet présent sous tous les personnages sauf Dante et Virgile. Sa forme était plus étroite du côté du passeur; elle a été successivement agrandie deux fois à droite. Le fond sombre nocturne a été observé avec la loupe binoculaire sous la carnation du dos de Phlégyas et sous celles des damnés. Dans cet état initial, les personnages de Dante et Virgile étaient plus rapprochés. Le détail radiographique de l'illustration 3 rend compte de cette étape : la tête de Dante était de profil et plus proche de celle de Virgile comme le souligne la première position de son col blanc arrondi. Il portait un chaperon rouge plus ample, passant sur ses épaules, ses manches, et probablement devant son bras gauche, et retombant jusqu'à la seconde série de boutons de sa tunique. Virgile était représenté de face, la tête encadrée d'un drapé, située plus à gauche de sa position actuelle. Ces observations sont à rapprocher du dessin préparatoire RF 9193 *(fig. 40)* pour la position des têtes, ou de l'esquisse RF 9161 *(fig. 17)* pour la proximité des deux figures[3]. Delacroix a ultérieurement espacé les deux figures et donné plus de place à Virgile en agrandissant son manteau sur la gauche. Il a élargi vers la droite et modifié le drapé de la capuche de Virgile.

Contrairement aux deux personnages centraux très travaillés, le damné et le batelier situés à droite de Virgile sont peints plus légèrement et ne semblent pas repris. Ces observations s'accordent avec le témoignage du *Journal* de Delacroix du 24 décembre 1853 où il précise qu'il a travaillé avec une grande rapidité.

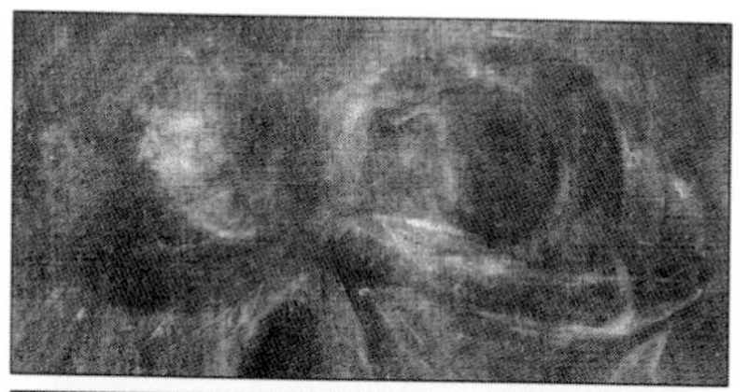

Illustration 3 : détail radiographique comparé à la photographie en lumière directe.
Paris, laboratoire du Centre de recherche et de restauration des Musées de France

2. L'analyse de la préparation de *la Liberté guidant le peuple*, musée du Louvre, RF 129, a été publiée par L. Faillant-Dumas et J.-P. Rioux dans l'ouvrage de H. Toussaint, *« La Liberté guidant le peuple » de Delacroix*, RMN, « Les dossiers du département des peintures n° 26 », Paris, 1982.

La frise des damnés au premier plan de la composition a été l'objet de multiples modifications.

L'homme accroché à l'extrémité de l'embarcation devant Dante a été ébauché avec la tête plus redressée, comme dans l'étude RF 9186, avant d'être représenté en train de mordre la barque. À l'opposé, les deux damnés s'empoignant dans l'angle inférieur droit ont été peints légèrement, tout comme la ville de Dité à l'arrière-plan.

Les trois damnés du premier plan ont fait l'objet de multiples recherches sur la toile pour définir leurs attitudes et ajuster leurs positions respectives. La femme damnée occupait antérieurement une position plus centrale, sa tête jouxtant le bas du vêtement brun-orangé de Virgile. Son bras gauche était alors en extension vers l'arrière. La femme a ensuite été déplacée vers la droite, le coude pointant vers le spectateur, comme sur le dessin préparatoire RF 9187, attitude permettant de creuser le relief. Ce décalage a permis d'insérer le personnage central qui, dans une première ébauche, était représenté dans une position plus allongée et déployée. Son coude était situé à la verticale des mains de Dante et Virgile, et son avant-bras droit reposait sur le bord de la barque. Puis, le peintre a contracté la position du corps, comme sur le dessin RF 9176 *(fig. 15)*. Par ces changements, une large place a été ménagée au dernier damné allongé sur le flanc. La radiographie montre que ce personnage a été particulièrement travaillé. Une première position le représentait la tête de profil, rejetée en arrière, ses bras plus tendus, tel qu'il apparaît dans le dessin préparatoire RF 9174 *(fig. 4)* mis au carreau. Delacroix a ensuite assoupli la figure en arrondissant le port des bras et en courbant la tête sur l'épaule droite.

Outre les repentirs, on remarque que les figures ne sont pas toutes travaillées avec la même insistance. Dante, Virgile et le damné allongé sur le flanc présentent de nombreuses modifications et un travail important effectué directement sur la toile. L'homme mordant la barque et les deux damnés accrochés à la barque au premier plan sont moins intensément travaillés bien que repris. Enfin, Phlégyas, le damné à sa gauche et les deux damnés luttant en bas à droite paraissent avoir été peints plus légèrement.

La matière picturale : gerçures et repeints anciens

Le tableau a présenté précocement, selon les sources historiques, d'importants phénomènes de gerçures. Les plus impressionnantes sont situées dans les ombres denses du bas du tableau où la matière s'est fortement rétractée et agglomérée en reliefs arrondis, laissant percevoir la préparation claire sous les zones amincies. Les couleurs claires, lorsqu'elles sont posées sur des couches foncées, présentent des craquelures ouvertes franches, altérations entraînant un fort contraste chromatique nuisible à la présentation du tableau. L'illustration 4 montre les craquelures de la carnation de Virgile posée sur une couche verte sous-jacente boursouflée.

Illustration 4 : macrophotographie des craquelures sur le visage de Virgile.
Paris, laboratoire du Centre de recherche et de restauration des Musées de France

Ces altérations, vraisemblablement en lente évolution, pourraient être dues à la nature des pâtes foncées qui n'ont pas bien séché. Ce défaut de formulation peut avoir été engendré par l'adjonction d'additifs inappropriés. La réalisation du tableau à partir d'une ébauche foncée ainsi que la superposition rapide de couches ayant des vitesses de séchage différentes ont également favorisé le développement de ces gerçures. L'illustration 5 propose un schéma d'évolution de la matière picturale rendant compte de ces observations.

Des repeints anciens, relativement nombreux, sont présents sur l'ensemble du tableau. Ils se distinguent des autres repeints plus récents car ils sont couvrants et bien

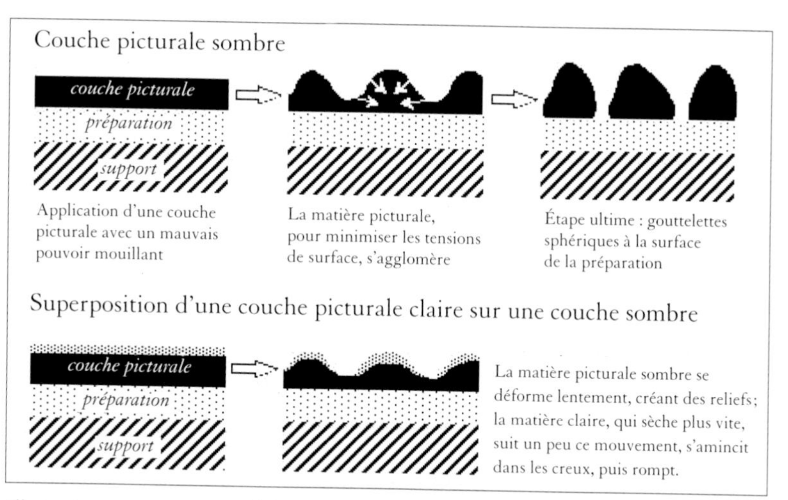

Illustration 5 : comportement de la matière picturale lors du séchage.
Paris, laboratoire du Centre de recherche et de restauration des Musées de France

intégrés à la matière picturale originale. Leur matière et leur couleur sont comparables à celles du tableau. Ils masquent des gerçures et sont maintenant traversés par des craquelures d'âge (illustration 6). Ces repeints anciens, d'une texture proche de la matière originale, pourraient correspondre à l'intervention de Delacroix, une quarantaine d'années après la création de l'œuvre.

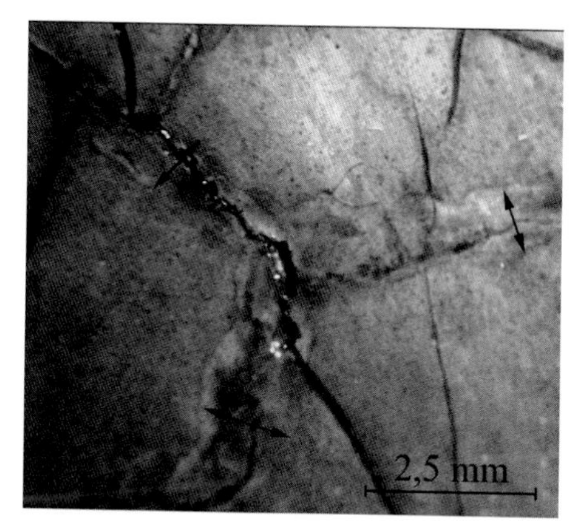

Illustration 6 : ancienne gerçure repeinte sur la joue de Dante.
Paris, laboratoire du Centre de recherche et de restauration des Musées de France

Conclusion

L'étude du tableau de Delacroix au laboratoire a mis en lumière plusieurs aspects de sa réalisation. L'assemblage des toiles, tout d'abord, est assez surprenant par sa complexité. La présence de trois pièces cousues dans le bas du tableau pourrait indiquer l'utilisation de chutes de toile, peut-être économisées par manque d'argent. Les modifications de la composition illustrent l'élaboration progressive du tableau qui s'est poursuivie, au-delà des dessins préparatoires, sur l'œuvre peinte. D'une manière générale, la composition, initialement plus ramassée, a pris de l'ampleur. Cela s'est traduit aussi bien par le dépliage de deux bords de la toile, que par l'agrandissement de la barque et le déplacement des figures.
L'apparition de gerçures, devenues très gênantes pour la lisibilité de l'œuvre plusieurs dizaines d'années après sa création, sont probablement liées à une formulation inappropriée des couleurs sombres et à un travail rapide. L'intervention de restauration du tableau par Delacroix a probablement consisté à masquer les gerçures ouvertes. Ces repeints couvrants, d'une matière picturale proche de celle d'origine, s'intègrent encore de nos jours de manière satisfaisante à l'œuvre.

Liste des œuvres exposées

1. Eugène Delacroix
(Charenton-Saint-Maurice, 1798-Paris, 1863)
Dante et Virgile aux Enfers,
dit aussi *la Barque de Dante*
Salon de 1822
Huile sur toile
H. 1,89; L. 2,415
Signé sur la barque : Eug. Delacroix/1822
Paris, musée du Louvre,
département des Peintures, RF 3820

2. Anonyme
Portrait d'Eugène Delacroix
Vers 1820
Huile sur toile
H. 0,60; L. 0,50
Rouen, musée des Beaux-Arts

3. Eugène Delacroix
Album ouvert, f° 12 v°, 13 r°, *Dante et Virgile*
Plume encre brune
Vers 1818-1819
Paris, Bibliothèque nationale de France,
département des Manuscrits,
ms. N.A.fr. 13.296

4. Eugène Delacroix
Album ouvert, f° 34 v° : traduction
du chant III de *l'Enfer*, et 35 r° :
traduction et dessin, *la Barque de Charon*
Mine de plomb, plume, encre brune,
lavis gris et brun
Paris, musée du Louvre,
département des Arts graphiques, RF 23356

5. Eugène Delacroix
Album ouvert, f° 14 r° : *Trois études d'après le masque mortuaire de Dante*
Vers 1845
Mine de plomb
H. 0,25; L. 0,375
Paris, musée du Louvre,
département des Arts graphiques, RF 9150
(legs Moreau-Nélaton)

6. Eugène Delacroix
Groupe de poètes
(Étude pour la coupole de la bibliothèque
du Sénat)
Vers 1845
Mine de plomb
H. 0,25; L. 0,375
Marseille, musée Grobet-Labadié, G.L. 1920

7. Eugène Delacroix
Virgile introduisant Dante auprès d'Homère
(Feuille d'étude pour la coupole
de la bibliothèque du Sénat)
Mine de plomb
H. 0,256; L. 0, 392
Paris, musée du Louvre,
département des Arts graphiques, RF 9542
(legs Moreau-Nélaton)

8. Eugène Delacroix
Virgile introduisant Dante auprès d'Homère
(Feuille d'étude pour la coupole
de la bibliothèque du Sénat)
Mine de plomb
H. 0,251; L. 0,287
Paris, musée du Louvre,
département des Arts graphiques, RF 12858

9. Eugène Delacroix
Virgile introduisant Dante auprès d'Homère
(Feuille d'étude pour la coupole
de la bibliothèque du Sénat)
Mine de plomb
H. 0,251; L. 0,287
Paris, musée du Louvre,
département des Arts graphiques, RF 12859

10. Eugène Delacroix
Chopin en Dante
Vers 1846
Mine de plomb
H. 0,290; L. 0,240
Paris, musée du Louvre,
département des Arts graphiques, RF 20

11. Eugène Delacroix
Ugolin dans la tour
Huile sur toile
H. 0,50; L. 0,61
Copenhague, musée d'Ordrupgaard

12. Théodore Géricault
(Rouen, 1791-Paris, 1824)
Esquisse pour le Radeau de la Méduse
Huile sur toile
H. 0,65; L. 0, 83
Paris, musée du Louvre,
département des Peintures, RF 1667
(legs Moreau-Nélaton)

13. Théodore Géricault
Étude d'après le modèle noir Joseph pour
le Radeau de la Méduse
Huile sur toile
H. 0,55; L. 0, 45
Montauban, musée Ingres, D. 55.4.1;
dépôt du département des Peintures
du musée du Louvre en 1955, RF 580

14. Eugène Delacroix
Étude d'homme nu, dit aussi *Polonais,*
modèle à l'École des beaux-arts
Vers 1820
Papier sur toile
H. 0,80; L. 0,54
Paris, musée du Louvre,
département des Peintures, RF 1953-40
(exposé au musée Delacroix)

15. Eugène Delacroix
Dessin d'après le Débarquement
de Marie de Médicis *de Rubens*
Mine de plomb
H. 0,290; L. 0,255
Paris, musée du Louvre,
département des Arts graphiques, RF 32249

16. Eugène Delacroix
Torse de sirène d'après le Débarquement de Marie de Médicis *de Rubens*
Vers 1822
Huile sur toile
H. 0, 465; L. 0,380
Bâle, Kunstmuseum

17. Lucas Vosterman d'après Rubens
Héro et Léandre
H. 0,60; L. 0,912
Encre brune, gouache, lavis brun, lavis gris, pierre noire, plume, rehauts de blanc sur papier beige
Paris, musée du Louvre, département des Arts graphiques, Inv. 20369

18. Eugène Delacroix
Dante parmi les ruffians et les séducteurs
(Étude pour le chant XVIII de *l'Enfer* de Dante)
Crayon noir et encre
H. 0,22; L. 0,23
Vienne, Graphische Sammlung Albertina, n° 24 097

19. Eugène Delacroix
Études avec deux personnages (Dante et Virgile), académie féminine
Plume
Vienne, Graphische Sammlung Albertina, n° 24 105

20. Eugène Delacroix
Têtes sortant de l'eau
(Étude pour le chant XXXII de *l'Enfer* de Dante)
Mine de plomb
H. 0, 270; L. 0,201
Paris, musée du Louvre, département des Arts graphiques, RF 9194 (legs Moreau-Nélaton)

21. Eugène Delacroix
Dante et Virgile devant un damné
Mine de plomb
H. 0,308; L. 0,200
Paris, musée du Louvre, département des Arts graphiques, RF 9165 (legs Moreau-Nélaton)

22. Eugène Delacroix
Deux études de personnage drapé, vu de face (Virgile)
Mine de plomb
H. 0,265; L. 0,185
Paris, musée du Louvre, département des Arts graphiques, RF 22944

23. Eugène Delacroix
Album ouvert, f° 41 v°-42 r° : *Dante et Virgile dans la barque*
Mine de plomb
Paris, musée du Louvre, département des Arts graphiques, RF 9151 (legs Moreau-Nélaton)

24. Eugène Delacroix
Croquis avec deux figures (Dante et Virgile)
Crayon noir
H. 0, 211; L. 0, 227
(manque à gauche de la feuille)
Paris, musée du Louvre, département des Arts graphiques, RF 9180 (legs Moreau-Nélaton), verso

25. Eugène Delacroix
Étude d'hommes nus
Mine de plomb
H. 0,151; L. 0,328
Paris, musée du Louvre, département des Arts graphiques, RF 9184

26. Eugène Delacroix
Deux études d'homme nu debout pour Phlégyas
Crayon noir, mine de plomb sur papier beige
H. 0,443; L. 0,295
Paris, musée du Louvre, département des Arts graphiques, RF 9167

27. Eugène Delacroix
Têtes de Dante et Virgile
Fusain estompé, crayon noir et rehauts de blanc, avec quelques touches de bistre
H.0,204; L. 0,307
Paris, musée du Louvre, département des Arts graphiques, RF 9193 (legs Moreau-Nélaton)

28. Eugène Delacroix
Étude d'homme nu renversé pour un damné
Crayon noir, rehauts de blanc sur papier brun
H.0,237; L. 0,285
Paris, musée du Louvre, département des Arts graphiques, RF 9174 (legs Moreau-Nélaton)

29. Eugène Delacroix
Deux études d'homme nu
Crayon noir sur papier beige
H. 0,298; L. 0,445
Paris, musée du Louvre, département des Arts graphiques, RF 9173 (legs Moreau-Nélaton)

30. Eugène Delacroix
Tête d'homme renversée en arrière
Crayon noir sur papier beige
H. 0,170; L. 0,193
Paris, musée du Louvre, département des Arts graphiques, RF 9164 (legs Moreau-Nélaton)

31. Eugène Delacroix
Trois têtes d'hommes, dont deux s'agrippant à un rebord
Crayon noir et mine de plomb
H. 0,212; L. 0,300
Paris, musée du Louvre, département des Arts graphiques, RF 9181 (legs Moreau-Nélaton)

32. Eugène Delacroix
Feuille d'études avec homme mordant la barque
Mine de plomb avec quelques reprises à la plume, encre noire
H.0,20; L. 0,322
Paris, musée du Louvre, département des Arts graphiques, RF 9186 (legs Moreau-Nélaton)

33. Eugène Delacroix
Étude pour les damnés luttant et Virgile
Mine de plomb
H. 0, 276; L. 0,40
Paris, musée du Louvre, département des Arts graphiques, RF 9188 (legs Moreau-Nélaton)

34. Eugène Delacroix
Étude de damnés
Crayon noir, rehauts de blanc, mine de plomb sur papier bistre
H. 0,268; L. 0,407
Paris, musée du Louvre, département des Arts graphiques, RF 9191 (legs Moreau-Nélaton)

35. Eugène Delacroix
Étude de personnages à mi-corps, le bras gauche levé, pour la damnée
Crayon noir et fusain
H. 0,268; L. 0,370
Paris, musée du Louvre, département des Arts graphiques, RF 9187 (legs Moreau-Nélaton)

36. Eugène Delacroix
Étude d'un homme nu de dos pour le damné luttant
Crayon noir et légers rehauts de blanc sur papier chamois
H. 0,365; L 0,255
Paris, musée du Louvre,
département des Arts graphiques, RF 9166
(legs Moreau-Nélaton)

37. Eugène Delacroix
Étude d'un homme nu de dos pour le damné luttant
Crayon noir et légers rehauts de blanc sur papier beige, mis au carreau au crayon noir
H. 0,200; L. 0,270
Paris, musée du Louvre,
département des Arts graphiques, RF 9176
(legs Moreau-Nélaton)

38. Eugène Delacroix
Cinq études d'homme nu, de dos, le bras gauche levé
Crayon noir sur papier gris
H. 0, 300; L. 0,442
Paris, musée du Louvre,
département des Arts graphiques, RF 9179
(legs Moreau-Nélaton)

39. Eugène Delacroix
Étude d'homme nu, de dos, le bras gauche levé pour Phlégyas
Mine de plomb
H.0,302; L.0,275
Paris, musée du Louvre,
département des Arts graphiques, RF 9189
(legs Moreau-Nélaton)

40. Eugène Delacroix
Figure du nautonier nu, de dos, pesant sur sa rame
Crayon noir et rehauts de blanc sur papier bistre
H. 0,262; L. 0,220
Paris, musée du Louvre,
département des Arts graphiques, RF 9190
(legs Moreau-Nélaton)

41. Eugène Delacroix
Quatre études pour les murailles de la ville infernale de Dité
Pinceau et lavis brun
H. 0,305; L. 0,453
Paris, musée du Louvre,
département des Arts graphiques, RF 9178
(legs Moreau-Nélaton)

42. Eugène Delacroix
Deux études pour les murailles de la ville infernale de Dité
Pinceau et lavis brun
H.0,242; L. 0,432
Paris, musée du Louvre,
département des Arts graphiques, RF 9177
(legs Moreau-Nélaton)

43. Eugène Delacroix
Étude pour les murailles de la ville infernale de Dité
Aquarelle
H. 0,139; L. 0,19
Paris, musée du Louvre,
département des Arts graphiques, RF 9163
(legs Moreau-Nélaton)

44. Eugène Delacroix
Première mise en place pour Dante et Virgile dans la barque
Mine de plomb, plume, encre brune et aquarelle
H. 0, 264; L. 0, 339
Paris, musée du Louvre,
département des Arts graphiques, RF 6161
(verso)

45. Eugène Delacroix
Homme de profil mordant
Fusain, estompe et mine de plomb
H. 0, 264; L. 0, 339
Paris, musée du Louvre,
département des Arts graphiques, RF 6161
(recto)

46. Eugène Delacroix
Le Naufrage de Don Juan
1840
Huile sur toile
H. 1,35; L. 1,96
Paris, musée du Louvre,
département des Peintures, RF 359

47. Eugène Delacroix
Le Christ sur le lac de Génézareth
1853
Huile sur toile
H. 0,60; L. 0,73
Zurich, fondation collection E. G. Bührle

48. Édouard Manet
(Paris, 1832-Paris, 1883)
Étude d'après Dante et Virgile aux Enfers d'Eugène Delacroix
Huile sur toile
H. 0,38; L. 0,46
Lyon, musée des Beaux-Arts

49. Hans Makart
(Salzbourg, 1840-Vienne, 1884)
Dante et Virgile aux Enfers
Huile sur toile
H. 0,84; L. 0,60
Vienne, Österreichische Galerie Belvedere

50. Auguste Rodin
(Paris, 1840-Meudon, 1917)
Torse d'Ugolin assis
Avant 1899
Plâtre
H. 1,08; L. 0,80; P. 0,79
Meudon, musée Rodin

51. Auguste Rodin
Fugit Amor
Avant 1887
Plâtre
H. 0,39; L. 0,50; P. 0,265
Meudon, musée Rodin

Bibliographie sélective

Athanassoglou-Kallmyer, 1991
Athanasoglou-Kallmyer N., *Eugène Delacroix : Prints, Politics and Satire (1814-1822),* New Haven et Londres, Yale University Press, 1991.

Banu, 2001
Banu G., *l'Homme de dos. Peinture, théâtre*, Paris, Adam Biro, 2001.

Baudelaire, 1855
Baudelaire Ch., « L'Exposition universelle », *le Pays*, 3 juin 1855 (3e partie).

Bätschmann, 1996
Bätschmann O., « Géricault, artiste d'exposition », dans Michel, 1996, p. 661-678.

Belting, 2003
Belting H., *le Chef-d'œuvre invisible*, Nîmes, Jacqueline Chambon, 2003.

Bernstein Howell, 1994
Bernstein Howell J., « Delacroix's lithographs of antique coins », *Gazette des beaux-arts*, juillet-août 1994, t. CXXIV, p. 15-24.

Berthier, 1980
Berthier Ph., « Des mots sur les images, des images sur les mots : à propos de Baudelaire et de Delacroix », *Revue d'histoire littéraire de la France*, 1980, 6, p. 900-915.

Bialostocki, 1996
Bialostocki J., *Style et iconographie. Pour une théorie de l'art*, Paris, Gérard Monfort, 1996.

Blanc, 1867
Blanc Ch., *Grammaire des arts du dessin*, Paris, 1867.

Bonnefoy, Serullaz, 1993
Bonnefoy Y. et Sérullaz A., *Delacroix et Hamlet*, Paris, RMN, 1993.

Bordes, Michel, 1988
Bordes Ph. et Michel R. [sous la direction de], *Aux armes et aux arts !*, Paris, Adam Biro, 1988.

Brown, 1984
Brown R. H., « The formation of Delacroix'Heros between 1822 and 1831 », *Art Bulletin*, juin 1984, p. 237-254.

Bruyas, 1876
Bruyas A. et Andrieu P., *la Galerie Bruyas*, Paris, J. Claye, 1876.

Busch, 1993
Busch W., *Das sentimentalische Bild. Die Krise der Kunst im 18. Jahrhundert und die Geburt der Moderne*, Munich, C. H. Beck, 1993.

Butler, 1998
Butler R., *Rodin. La solitude du génie*, Paris, Gallimard, 1998.

Catalogues d'exposition
— Abruzzo, 1995
Michelangelo e Dante, Casa di Dante, Abruzzo Castello Gizzi, Torre de'Passeri, 1995.

— Karlsruhe, 2003-2004
Eugène Delacroix, Karlsruhe, Staatliche Kunsthalle, 2003-2004.

— Rouen, 1998
Delacroix. La naissance d'un nouveau romantisme, Rouen, musée des Beaux-Arts, 1998.

Chastel, 1978
Chastel A., *Fables, formes, figures*, Paris, 1978.

Chaudonneret, 1998
Chaudonneret M.-Cl., « Thiers, critique d'art », *Revue des sciences morales et politiques*, hors série *Thiers, collectionneur et amateur d'art*, 1998.

Chaudonneret, 1999
Chaudonneret M.-Cl., *l'État et les artistes, de la Restauration à la monarchie de Juillet (1815-1833),* Paris, Flammarion, 1999.

Chaudonneret, 2004
Chaudonneret M.-Cl., *Adolphe Thiers, critique d'art. Les Salons de 1822 et 1824*, Paris, Honoré Champion, à paraître (fin 2004).

Chenique, 1997
Chenique Br., « Le meurtre du père ou les insensés de l'atelier de Guérin », *le Temps des passions. Collections romantiques du musée d'Orléans*, Orléans, 1997, p. 37-60.

Chesneau, 1864
Chesneau E., *l'Art et les artistes modernes*, Paris, Didier, 1864.

Collier, 1994
Collier P., « Newspaper and Myth », *Artistic Relations. Literature and the Visual Arts in Nineteenth Century France*, New Haven et Londres, Yale university Press, 1994, p. 161-177.

Courthion, 1970
Courthion P., « Un carnet inédit de Delacroix », *l'Œil*, janvier 1970, p. 17-21.

Crow, 1997
Crow Th., *l'Atelier de David. Émulation et Révolution*, Paris, Gallimard, 1997.

Cuzin, 1993
Cuzin J.-P., *Copier, créer. De Turner à Picasso : 300 œuvres inspirées par les maîtres du Louvre*, [cat. exp. Paris, musée du Louvre, 1993], Paris, RMN, 1993.

Daguerre de Hureaux, 1993
Daguerre de Hureaux A., *Delacroix*, Paris, Hazan, 1993.

Dante, 1992
Dante A., *la Divine Comédie*, Paris, Garnier-Flammarion, 1992 (traduction de Jacqueline Risset).

Delaborde, Godde, 1858
Delaborde H. et Goddé H., *l'Âme de Paul Delaroche*, Goupil et Cie, 1858.

Delacroix, 1954
Delacroix E., *Lettres intimes*. Correspondance inédite publiée avec une préface et des notes par Alfred Dupont, Paris, Gallimard, 1954.

Delacroix, 1996
Delacroix E., *Journal 1822-1863*, édition établie par André Joubin, Paris, Plon, 1931-1932; rééd. revue par Régis Labourdette, 1980 et 1996 (préface de Hubert Damisch).

Dumas, 1996
Dumas A., *Delacroix*, Paris, Le Mercure de France, 1996.

Ehrlich, 1967
Ehrlich White B., « Delacroix's painted copies after Rubens », *The Art Bulletin*, mars 1967, p. 37-50.

Floetemeyer, 1998
Floetemeyer R., *Delacroix'Bild des Menschen. Erkundungen vor dem Hintergrund des Kunst des Rubens*, Mayence, Philippe von Zabern, 1998.

Foucart, Thuillier, 1969
Foucart J. et Thuillier J., *Rubens, la galerie Médicis au palais du Luxembourg*, Paris et Milan, Laffont et Rizzoli, 1969.

Fraser, 1998
Fraser E. A., « Uncivil alliances : Delacroix, the private collector, and the public », *Oxford Art Journal*, 1998, n° 21/1, p. 87-103.

Fraser, 2004
Fraser E., *Delacroix. Art and Patrimony in Post-Revolutionary France*, Cambridge, Cambridge University Press, 2004.

Fried, 1988
Fried M., *Absorption and Theatricality. Painting and Beholder in the Age of Diderot*, Chicago, University of Chicago Press, 1988.

Frodl, 1974
Frodl G., *Hans Makart. Monographie und Werkverzeichnis*, Salzbourg, 1974.

Gaethgens, 1988
Gaethgens Th., « L'artiste en tant que héros. Eugène Delacroix », *Triomphe et mort du héros*, cat. exp. Lyon, musée des Beaux-Arts, 1988, p. 120-129.

Gérard, 1867
Gérard H., *Correspondance de François Gérard, peintre d'histoire, avec les artistes et les personnages célèbres de son temps*, Paris, 1876.

Guégan, 1998
Guégan St., *Delacroix, l'enfer et l'atelier*, Paris, Flammarion, 1998.

Hannoosh, 1995
Hannoosh M., *Painting and the Journal of Eugène Delacroix,* Princeton, Princeton University Press, 1995.

Hautecœur, 1963
Hautecœur L., *Littérature et peinture en France du XVIIe au XIXe siècle*, Paris, A. Colin, 1963 (2e édition).

Herding, 1989
Herding Kl., « Kunst aus hochgemuter Düsternis. Über Delacroix'Paradoxien », *Städel Jahrbuch, Neue Folge*, vol. 12, 1989, p. 259-278.

Hoffmann, 1960
Hoffmann W., *Das irdische Paradies. Kunst im 19. Jahrhundert*, Munich, Prestel, 1960.

Hüttinger, 1970
Hüttinger E., « Der Schiffbruch. Deutung eines Bildmotivs im 19. Jahrhundert », *Beiträge zur Motivkunde im 19. Jahrhundert*, Munich, Prestel, 1970, p. 211-244.

Huyghe, 1963
Huyghe R., « Delacroix et le thème de la barque », *Revue du Louvre et des musées de France*, 1963, n° 2, p. 65-72.

Huyghe, 1964
Huyghe R., *Delacroix ou le combat solitaire*, Paris, Hachette, 1964.

Joannides, 2001
Joannides P., « Delacroix and Modern Literature », dans Wright, 2001, p. 130-153.

Jobert, 1998
Jobert B., *Delacroix*, Paris, Gallimard, 1998.

Julia, Lacambre, 1996
Julia I. et Lacambre J., *les Années romantiques. La peinture française de 1815 à 1850*, [cat. exp. Nantes, musée des Beaux-Arts; Paris, Grand Palais; Plaisance, Palazzo gotico, 1996], Paris, RMN, 1996.

Johnson, 1958
Johnson L., « The formal sources of Delacroix's *Barque de Dante* », *Burlington Magazine*, n° 664, vol. C, juillet 1958, p. 232.

Johnson, 1962
Johnson L., *Eugène Delacroix*, cat. exp. Toronto, The Art Gallery of Toronto; Ottawa, National Gallery of Canada, 1962.

Johnson, 1966
Johnson L., « Eugène Delacroix et les Salon », *Revue du Louvre et des musées de France*, vol. 16, 1966, p. 217-230.

Johnson, 1981-1993
Johnson L., *The Paintings of Eugène Delacroix. A critical catalogue*, Oxford, New York, Toronto, Oxford University Press, 1981-1993, 6 vol.

Johnson, 2002
Johnson L., *The Paintings of Eugène Delacroix. A critical catalogue. Fourth Supplement and reprint of Third Supplement*, Oxford, New York, Toronto, Oxford University Press, 2002.

Joubin, 1938
Joubin A., *Correspondance générale d'Eugène Delacroix*, Paris, Plon, 1938, 5 vol.

Jullian, 1953
Jullian R., « Baudelaire et Delacroix », *Gazette des beaux-arts,* mars 1953, p. 311-326.

Jullian, 1963
Jullian Ph., *Delacroix*, Paris, Albin Michel, 1963.

Kolb, 1937
Kolb M., *Ary Scheffer et son temps, 1795-1858*, Paris, Boivin et Cie, 1937.

Lambertson, 1994
Lambertson J. P., *The Genesis of French Romanticism : P.N. Guérin's Studio and the Public Sphere*, thèse, Urbana, University of Illinois, 1994.

Larue, 1989
Larue A., « Byron et le crépuscule du sujet », *Romantisme*, 1989, n° 66.

Larue, 1990
Larue A., « Les fins de la peinture selon David et Delacroix », *Les Fins de la peinture*, R. Démoris [sous la direction de], Paris, Desjonquères, 1990.

Larue, 1996-a
Larue A., « Delacroix et ses élèves à travers un manuscrit inédit », *Romantisme*, 1996, n° 92.

Larue, 1996-b
Larue A., *Eugène Delacroix. Dictionnaire des Beaux-Arts*, Paris, 1996.

Larue, 1998
Larue A., *Romantisme et mélancolie. Le journal de Delacroix*, Paris, Honoré Champion, 1998.

Lee, 1967
Lee R., *Ut Pictura Poesis : the Humanistic Theory of Painting*, New York, Norton, 1967.

Le Normand-Romain, 2001
Le Normand-Romain A. [sous la direction de], *Rodin en 1900, l'exposition de l'Alma*, cat. exp. Paris, musée du Luxembourg, 2001.

Le Normand-Romain, 2002
Le Normand-Romain A., *Rodin. « La Porte de l'Enfer »*, Paris, musée Rodin, 2002.

Lichtenstein, 1979
Lichtenstein S., *Delacroix and Raphaël*, New York, Garland, 1979.

Loyrette, 1995
Loyrette H., « Ovide in exile », *The Burlington Magazine*, 1995, vol. 137, p. 682-683.

McKee, 1990
McKee G. D., « Charles-Paul Landon's advocacy of modern french art, 1800-1825 : the *Annales du musée* », *Album Amicorum Kenneth C. Lindsay. Essays on Art and Litterature*, Binghamton, State University of New York, 1990, p. 203-233.

McWilliam, 1991
McWiliam N., Schuster V. et Wrighley R., *A Bibliography of Salon Criticism in Paris from Ancien Régime to the Restauration (1699-1827)*, Cambridge, Cambridge University Press, 1991.

Maltese, 1965
Maltese C., *Delacroix*, Florence, G. Barbèra, 1965.

Michel, Laveissière, 1991
Michel R. et Laveissière S., *Géricault*, [cat. exp. Paris, Grand Palais, 1991-1992], Paris, RMN, 1991.

Michel, 1996
Michel R., *Géricault*, actes du colloque du musée du Louvre, Paris, RMN, 1996.

Moss, 1973
Moss A., *Baudelaire et Delacroix*, Paris, A. G. Nizet, 1973.

Mras, 1966
Mras P., *Eugène Delacroix'Theory of Art*, Princeton, Princeton Univerity Press, 1966.

Neto, 1995
Néto I., *Granet et son entourage, Archives de l'art français. Nouvelle période*, t. XXXI, Nogent-le-Roi, Laget, 1995.

Noon, 2003
Noon P. [sous la direction de], *Constable to Delacroix. British Art and French Romantics*, cat. exp. Londres, Tate Gallery, 2003.

Piot, 1931
Piot R., *les Palettes de Delacroix*, Paris, Librairie de France, 1931.

Piron, 1865
Piron E., *Eugène Delacroix, sa vie, ses œuvres*, Paris, Imprimerie Jules Claye, 1865.

Pitwood, 1985
Pitwood M., *Dante and the French Romantics*, Genève, Droz, 1985.

Quatremere de Quincy, 1824
Qatremère de Quincy A. Q., *Histoire de la vie et des ouvrages de Raphaël*, Paris, Ch. Gosselin, 1824.

Quatremere de Quincy, 1835
Qatremère de Quincy A. Q., *Histoire de la vie et des ouvrages de Michel-Ange Buonarotti*, Paris, Firmin-Didot, 1835.

Ringbom, 1968
Ringbom S., « Guérin, Delacroix and the *Liberty* », *Burlington Magazine*, mai 1968, p. 270-271.

Rautmann, 1997
Rautmann P., *Delacroix*, Paris, Citadelles-Mazenod, 1997.

RISSET, 1982
Risset J., *Dante écrivain*, Paris, Le Seuil, 1982.

RODIN, 1911
Rodin A., *l'Art. Entretiens réunis par Paul Gsell*, Paris, Grasset, 1911.

ROBAUT, 1885
Robaut A., *Catalogue de l'œuvre complet de Delacroix*, Paris, Charavay Frères, 1885.

ROSENBLUM, 1989
Rosenblum R., *l'Art au XVIIIe siècle. Transformations et mutations*, Paris, Gérard Montfort, 1989.

RUBIN, 1987
Rubin J. H., *Die Dantebarke. Idealismus und Modernität*, Francfort, Fischer, 1987.

RUBIN, 1993
Rubin J. H., « Delacroix's Dante and Virgil as a Romantic Manifesto. Politics and Theory in the Early 1820s », *The Art Journal*, été 1993, vol. 52, n° 2, p. 48-58.

RUDRAUF, 1942
Rudrauf L., « Une variation sur le thème du *Radeau de la Méduse* », *IIe Congrès international d'esthétique et de science de l'art*, Paris, 1937; II, p. 500-505.

RUDRAUF, 1942
Rudrauf L., *Delacroix et le problème du romantisme artistique*, Paris, H. Laurens, 1942.

RUDRAUF, 1942
Rudrauf L., « De la bête à l'ange. Les étapes de la lutte vitale dans la pensée et l'art d'Eugène Delacroix », *Acta historiae artium. Academia scientarum hungaricae*, vol. 9, 1963, p. 295-341.

SCHAWELKA, 1979
Schawelka K., *Eugène Delacroix : sieben Studien zu seiner Kunsttheorie*, s.l., 1979.

SCHWAGER, 1979
Schwager Kl., « Die *Dantebarque*. Zur Auseinandersetzung Eugène Delacroix'mit einem literarischen Vorwurf », *Wort und Bild. Symposium des Fachbereichs Altertums- und Kulturwissenschaften zum 500 jährigen Jubiläum des Eberhard-Karls-Universität Tübingen 1977*, Munich, W. Fink, 1979, p. 311-339.

SCOTT, 1988
Scott D., *Pictorialist poetics : Painting and the Visual Arts in the Nineteenth-Century France*, Cambridge, Cambridge University Press, 1988.

STEINER, 1994
Steiner R., « Lockung des Abgrunds. Hans Makart als Maler des Decadence », *Pantheon*, année LII, 1994, p. 120-132.

SÉRULLAZ, 1963
Sérullaz M., *Mémorial*, [cat. exp. du centennaire de Delacroix], Paris, RMN, 1963.

SÉRULLAZ, 1981
Sérullaz M., *Delacroix*, Paris, Nathan, 1981.

SÉRULLAZ *et alii*, 1984
Sérullaz M., Sérullaz A., Prat L.-A., *Inventaire général des dessins. École française. Dessins d'Eugène Delacroix*, Paris, RMN, 1984, 2 vol.

SIGNAC, 1978
Signac P., *D'Eugène Delacroix au néo-impressionnnisme*, Paris, Hermann, 1978.

SILVESTRE, 1856
Silvestre Th., *Histoire des artistes vivants français et étrangers*, Paris, Blanchard, 1856.

SOLOMON-GODEAU, 1997
Solomon-Godeau A., *Male Trouble : a Crisis in Representation*, Londres, Thames and Hudson, 1997.

SPITZER, 1987
Spitzer L., *The French Generation of 1820*, Princeton, Princeton University Press, 1987.

STARZYNSKI, 1962
Starzynski J., « Delacroix et Chopin », *conférence de l'Académie polonaise des sciences,* Centre scientifique à Paris, fascicule 34, 1962.

STARZYNSKI, 1963
Starzynski J., « La pensée orphique du plafond d'Homère de Delacroix », *Revue du Louvre et des musées de France*, 1963, n° 2, p. 73-82.

STIERLE, 2001
Stierle K.-H., « *La Barque de Dante* et *le Tasse en prison* : l'imaginaire entre le texte et l'image », *Starobinski en mouvement*, Seyssel, Champ Vallon, 2001.

STUFFMANN, 1988
Stuffmann M. [sous la direction de], *Eugène Delacroix. Themen und Variationen. Arbeiten auf Papier*, cat. exp. Francfort, Städtische Galerie, 1988.

STUFFMANN, 2001
Stuffmann M., « "Randbemerkungen". Delacroix'Lithographien zu Goethes Faust, Teil I », dans STALLA R. [sous la direction de], *Druckgraphik. Funktion und Form,* Munich et Berlin, 2001, p. 119-127.

TOURNEUX, 1886
Tourneux M., *Eugène Delacroix devant ses contemporains*, Paris Nogent-le-Roi, Laget, 1992.

TRAPP, 1971
Trapp Fr. A., *The Attainment of Delacroix,* Baltimore et Londres, John Hopkins Press, 1971.

VASCONCELLOS, 1925
Vasconcellos I. (de), *l'Inspiration dantesque dans l'art romantique français*, Paris, Picart, 1925.

VERON, 1856
Véron L., *Mémoire d'un bourgeois de Paris*, Paris, 1856.

WRIGHT, 2001
Wright B. E. [sous la direction de], *The Cambridge Companion to Delacroix*, Cambridge, New York, Melbourne, Madrid, Cambridge University Press, 2001.

Crédits photos

Arenenberg, Napoleonmuseum : fig. 26

Bâle, Kunstmuseum : fig. 91

Berlin, Preussischer Kulturbesitz, Staatliche Museen, Kupferstichkabinett, photo J.-P. Anders : fig. 43

Bordeaux, musée des Beaux-Arts : fig. 87

Copenhague, musée d'Ordrupgaard : fig. 46, 81

Melun, musée : fig. 38

Montauban, musée Ingres, photo Roumagnac : fig. 99

Paris, laboratoire du Centre de recherche et de restauration des Musées de France © C2RMF, E. Lambert, E. Ravaud, C. Benoit : ill.1 à 6

Paris, musée du Louvre, service d'étude et de documentation des Peintures : fig. 2, 21, 22, 27, 28, 32, 39, 44, 48, 64, 68, 69, 96, 106, 107

Paris, musée Rodin, photo B. Hatala, A. Rzepka, E. Freuler, B. Jarret/ADAGP : fig. 100 à 103, 105, 109

Paris, Réunion des musées nationaux, photo M. Bellot, H. Lewandowski, Le Mage, A. Danvers, R. G. Ojeda : fig. 1, 2 à 20, 23 à 26, 29, 30, 33 à 36, 40, 42, 45, 49 à 55, 57, 58 à 60, 62, 65 à 67, 70 à 72, 76, 77, 79, 80, 83 à 86, 88 à 90, 92 à 95, 97, 98, 104

Rouen, musée des Beaux-Arts, photo C. Lancien/C. Loisel : fig. 110

Vienne, Graphische Sammlung Albertina : fig. 37, 41

Vienne, Österreichische Galerie Belvedere : fig. 61

Zurich, fondation collection E.G. Bührle : fig. 56

Publication du département de l'Édition dirigé par
Catherine Marquet

Responsable d'édition
Josette Grandazzi

Relecture
Françoise Dachy

Fabrication
Jacques Venelli

Conception graphique
Frédéric Célestin

Mise en pages
Atelier Rosier

Photogravure
I. G. S., L'Isle d'Espagnac

Impression et brochage en France
sur les presses de l'Alençonnaise, Alençon

1er dépôt légal : mars 2004
Dépôt légal : mai 2004
ISBN : 2 7118-4773-X
EC 20 4773